Vodič kroz psihu ateizma, religije i filozofije i njihovo dejstvo na savremenu duhovnost

Savremena duhovnost, Volume 12

Vladimir Živković

Published by Vladimir Živković, 2023.

While every precaution has been taken in the preparation of this book, the publisher assumes no responsibility for errors or omissions, or for damages resulting from the use of the information contained herein.

VODIČ KROZ PSIHU ATEIZMA, RELIGIJE I FILOZOFIJE I NJIHOVO DEJSTVO NA SAVREMENU DUHOVNOST

First edition. November 13, 2023.

ISBN: 979-8223132882

Written by Vladimir Živković.

Sadržaj

Posvećeno teistima i ateistima.

VODIČ KROZ PSIHU ATEIZMA, RELIGIJE I FILOZOFIJE I NJIHOVO DEJSTVO NA SAVREMENU DUHOVNOST

Živković Vladimir
Smashwords Edition
Copyright 2023

Korice
Vladimir Živković

SADRŽAJ

3

UVOD

O va knjiga se malim delom bavi religijom, većim delom filozofijom ali ponajviše ateizmom.

Zašto baš ateizmom?

Zato što ateizam danas podstiče negiranje smisla i svrhe kao i podržavanje uživanja i lažne pameti koji su uglavnom destruktivne prirode.

Iz tog razloga, ova knjiga je vrlo poučna za svakoga a ponajviše za ateiste jer ateistima je upravo najteže. Mnogi ateisti će izučavanjem ove knjige steći dosta uvida, znanja i iskustva.

U raspravama između ateista i vernika naglasak se često stavlja na to ko je u pravu i kako logički uz pomoć inteligencije dokazati slabost vere teizma ili ateizma.

Mnogi zaboravljaju da je Stvaranje paradoks. Za spoznaju istine potrebna su iskustva i uvidi.

Recimo, u ljubavi nema puno logike a opet ljubav se takođe uči i doživljava.

U ovoj knjizi imate dosta tekstova uz pomoć kojih sam želeo da prenesem ljudima određene smernice koje će pokazati da nešto ne mora biti izrazito ubedljivo ni pametno da bismo stekli uvid i spoznaju istine.

To znači i da banalni i jednostavni događaji kriju smisao i istinu.

Prema tome, uz pomoć ove knjige steknite uvide i mudrost a ne hranu za ego koji te vara da si ovakav ili onakav.

Prijatno i uživajte!

DUHOVNOST, ATEIZAM I FILOZOFIJA

ZAKON ILUZIJE

Ateizam je velika i mračna šuma sa mnoštvom staza koje ne vode nigde već se ulivaju jedna u drugu i ostaju u šumi. U toj šumi postoji samo jedna strma staza koja vodi iz šume ali ateista ne ide njome zato što mu se ne sviđa.

Kada ateista prođe sve pogrešne puteve i shvati da se nalazi u beznađu, konačno smogne snage i hrabrosti i krene strmim putem. Tu on izlazi van šume na otvoreno, i tek tada shvati da je njegov put tek počeo.

Početak vere u Boga je početak puta, to nije kraj.

Mnogi se ponašaju kao da je vera u Boga kraj puta.

Ateizam je u stvari priprema za početak duhovnog puta. Duhovni put traje dugo i potrebno je mnogo života ići tim putem do konačnog uspeha.

Ateizam je bitisanje u paklu želja, zabluda i iluzija koje dolaze iz uma.

Te zablude i iluzije stvaraju velike nevolje čoveku. Čovek se odlučuje za ispravan put tek kada mu dosade nesreća i pesimizam.

Inteligencija i razum čoveka se ogledaju u prevazilaženju tvrdoglavosti ateizma.

Ateizam je apsolutna psihička samodestrukcija. To ćete spoznati uz pomoć ove knjige.

OGRANIČENOST ATEIZMA

Zamisli čoveka koji odseče rub hleba i kaže za rub da je to ceo hleb. Ti mu pokažeš ogroman ostatak celog hleba a on kaže: "Ne, postoji samo rub".

Zatim mu kažeš da je bila upotrebljena voda da se hleb napravi a on ti kaže: "Ne, gde ti vidiš vodu? Daj mi dokaz da je hleb napravljen od vode". Šta to znači?

Ateista je čovek koji tvrdi da u hlebu nema vode i da hleb nije hleb nego rub hleba.

Kako?

Ateista negira Tvorca a zatim i Stvaranje. Stvaranje nije samo materijalno. Postoji i stvarnost koju um zapaža. Svet nije samo materija ili energija.

Šta je ovde čudno?

Ateista se oslanja na um i na zablude iz uma. I upravo koristi te zablude da dokaže da Bog i duhovni svetovi ne postoje.

Ateista obožava da negira sebe.

To znači da ateista vidi i prepoznaje sve, ali negira upravo to sve jer želi da prizna samo materijalnu realnost (koja je u osnovi najveća iluzija jer je najdalje od Boga).

Zato su ateisti najudaljeniji od Boga i neguju totalno neznanje.

ATEIZAM I FILOZOFIJA

Ateizam je jedna vrsta opčinjenosti svetom i umom.

Šta to znači?

Filozofija je oduvek bila ta koja je cenila i poštovala um. Zbog obožavanja uma čovek dolazi u situaciju da veruje kako um mnogo zna. Međutim, um je samo alat za čuvanje i obradu informacija.

Inteligencija iz uma ne mora da ima nikakve veze sa znanjem. Ako se inteligencija loše koristi, glup čovek može poznavati istinu i znanje dok inteligentan čovek može imati samo maštu i mišljenje.

Ovo je vrlo važno zato što ateizam u pogledu znanja o Sebstvu ne donosi nikakvo znanje u filozofiji već samo pretpostavke na osnovu pretpostavki, a to znači samo pogrešna mišljenja koja nisu ni istina ni znanje.

Danas postoje mnoge filozofske grupe koje naivno žele da predstave ateističku filozofiju ispravnom i racionalnom. Naravno, čak i imena tih grupa zvuče znalački. Recimo, "filozofski originalni i autentični forum". Naravno, taj naziv ne može da sakrije da je u pitanju samo obična ateistička grupa bez znanja o Bogu i Sebstvu. Tačnije rečeno, to je grupa gde je istini zabranjen ulaz jer se traga za mišljenjem i materijom, a ne za znanjem i istinom. Filozofija svakako uključuje znanje o Bogu. Kada neko isključuje Boga iz filozofije to više nije filozofija već obični neznalački ateizam.

Ovo je sasvim razumljivo jer obožavanje uma i dovodi do zablude i lošeg mišljenja. Nezgodna stvar se sastoji u tome što ti je um ipak potreban, ali um nije cilj nego obično sredstvo za postizanje cilja.

Recimo, vazduh ti je potreban za disanje, ali kuću ne možeš izgraditi od vazduha već od čvrstog materijala.

Ateista je čovek koji veruje da od vazduha može napraviti kuću samo zato jer je on to učinio izvodljivim u svojoj mašti.

Ateista misli da može doći do znanja pukim mišljenjem i obradom materije, a ne iskustvom i spoznajom Sebstva.

Filozofija u principu nikada nije dala konkretna rešenja kao što su mnoge religije dale i istinu i rešenje. Ateistička filozofija je samo jalovi pokušaj čoveka da neugodnu istinu odstrani iz života, što je nemoguće.

A koja je ta neugodna istina?

Ti si odgovoran za sve što činiš. Toj odgovornosti nećeš pobeći nikada.

IZJAVA KOJA SEBE NEGIRA

„Najdublji greh protiv ljudskog uma je verovati u stvari bez dokaza".

— Oldus Haksli

Ja:

- Dobro, gospodine Haksli, dajte nam dokaze za tu tvrdnju ili ste grešni.

Zar nije sjajno kada možete jednim odgovorom da opovrgnete tvrdnju ateiste? Kao što sam već objasnio. Tvrdnja ateiste se uglavnom formira u umu. Tada nema početak u znanju i iskustvu, već samo u pretpostavkama, željama i zabludama.

I naravno, traženje dokaza za bilo šta od drugih, ali apsolutno ne pružanje dokaza za svoje tvrdnje.

VERNICI I ATEISTI KAO POZICIJA

I vernici i ateisti su ljudi sa različitim verovanjima. Naizgled ista stvar. Ipak, razlika između vere u Boga i ateizma je ogromna. Ateista je čovek koji ne veruje da kovčeg sa blagom postoji. Vernik veruje, ali ne zna gde je.

Kada ne veruješ u kovčeg sa blagom, nećeš ga ni tražiti. Kada veruješ, ako si pametan, tražićeš.

Tačno je da je sve u životu promenljivo. Ateista može postati vernik i obrnuto. Ipak, u trenutnoj situaciji teista je uvek ispred ateiste.

Kakve ovo ima veze sa filozofijom?

Bog je cilj, i Bog je ključ istinskog znanja. Samo negiranje Boga je negiranje znanja i istine.

Filozof koji ne veruje u Boga, ne veruje u ključ(Bog) koji otvara bogatstvo istinskog znanja. Takav čovek se svojevoljno nalazi u neznanju i pasivnosti, stagnaciji.

Istinita filozofija znanja bez Boga ne postoji.

ATEIZAM I LAŽNI VERNICI

Među filozofima ima mnogo ateista. Bog u kapitalizmu je novac. U komunizmu Bog je bio proteran iz društva. Komunizam je zbog toga i propao. Društvo bez Boga mora propasti.

Ovde se nameće pitanje, zbog čega ima toliko ateista? Glavni odgovor se nalazi u povredama čoveka. Današnja filozofija je usmerena na uživanje i lažnu pamet. Moram da kažem lažnu pamet jer pokušaj da se sve razume i objasni u umu je besmisleni, uzaludan poduhvat koji ne možeš obaviti do kraja.

Zašto sam pomenuo uživanje?

Pa ako uživanje smatraš velikim dobrom, tada patnju smatraš velikim zlom. Ipak, uživanje donosi patnju, tako da si stalno suočen sa onim što želiš izbaciti iz svog života. Zbog toga što patnju smatraš nepoželjnom, dobijaš utisak da su svet i Bog nepravedni prema tebi. Zato ne možeš da podneseš činjenicu da Bog postoji, da je pun ljubavi, da je pravedan i milostiv, i da je tvoje Jastvo, tj. ti si sam Bog. Takva izjava ti je nezamisliva, pa te čak i nervira.

Zbog toga što si pogrešno odbacio veru u istinu, ti onda moraš pronaći novu, koja će u suštini biti lažna, jer istina bez Boga nije istina.

Ateisti se danas bore protiv istine jer su povređeni i nezadovoljni. Oni bi radije da budu smrtni i nesrećni, samo da budu u pravu i da Bogu izraze svoje nezadovoljstvo.

Možda će vam biti čudno ali ovoj situaciji uveliko pridonose vernici različitih religija.

Na koji način?

Nerazumevanjem svoje religije i činjenjem zla i manipulacije putem lažne vere u Boga.

Ako kažeš da si vernik a pritom činiš greh i zlo onda i nisi dobar vernik. Ako religiju koristiš da opravdaš svoje zle postupke, gori si od većine ateista. Jer ateista ne znači da si loš čovek, već znači da si se opredelio za neznanje i beznađe.

Pouka glasi:

Mnogi ljudi su ateisti iz razloga što su mnogi vernici koristili religiju da čine zlo stvaranju. Ipak, to jeste razlog da sumnjaš u ljude, ali to nije razlog da veruješ da Bog ne postoji i da nijedna religija ne valja. Svaka religija je dobra ako izvučeš Boga i istinu iz nje. A to je moguće učiniti u svakoj religiji.

Prema tome, istina je da su mnogi ateisti bolji od nekih "vernika". Pa zašto ih onda ja stalno kritikujem?

Zato što ne žive u istini, i zato što odlukom da Boga ne priznaju, sebe čine negativnima po društvo. Niko nema prava da ti oduzima Boga. To je veliki greh, isto kao i lažna vera i činjenje zla pod plaštom vere.

Dakle, Bog ti je dao sve što ti je potrebno za spoznaju Sebstva. Iskoristi to na pravi način. Prvo je to da shvatiš da Bog postoji, da si ti taj Bog i da je Bog pravedan, milostiv i pun ljubavi. Spoznaja Boga je tvoj cilj.

ZDRAVA, SAVRŠENA LOGIKA

U ovom tekstu ću vam pokazati kako da uz pomoć savršene logike dođete do apsolutne istine.

Mnogi ljudi govore da logika ne vodi nužno do istine iako je ispravno urađena. Ja se ne bih složio sa time jer da bi logika uspela moraju se koristiti istinite informacije.

Šta to znači?

Da bi stvaranje bilo savršeno moraju biti zadovoljeni sledeći uslovi:

1. Savršeni Bog je Tvorac.

2. Sve stvoreno ima smisao i svrhu.

3. Ostvarenje svrhe daje savršenu nagradu.

Ovde se putovanje zatvara.

Možemo ići i u obrnutom pravcu.

Bilo koje drugo objašnjenje Kreacije osigurava besmisao, nesreću i očaj.

Dakle, samo jedan način daje nadu. Sve ostalo je jad i beda.

Pošto je Bog Tvorac savršen, On je već obezbedio sva tri uslova koja sam naveo.

Jedan jedini pozitivni ishod je zapravo apsolutna istina.

Pošto će mnogi naivno da ulože žalbu na ovu moju logiku, moram da kažem da sam ja uz pomoć ove logike poverovao u Boga, počeo sam da tražim Boga i našao Ga posle svega 4 godine.

To znači da ja takođe znam ko je Bog i na koji način Bog postoji u Stvaranju.

Običan um Boga ne može da zamisli, ali može Boga prihvatiti kada Ga doživimo.

Šta ovo dalje znači?

Svi vi možete pronaći Boga. Bog nema miljenike, ali ima zaslužnike.

To daje dodatni smisao Stvaranju, jer dok tragamo za Bogom mi zaista patimo tako da život i nagrada koja nam sleduje izgledaju stvarno i zasluženo.

Kada bi sve bilo med i mleko, Stvaranje bi bilo dosadno i nestvarno.

Kao što vidite, uz pomoć logike, nijedan čovek se ne može izgubiti.

Svako je na neki način nateran da traži Boga.

Pouka glasi:

Najgore što možeš sebi da učiniš je da budeš ateista ili vernik koji ne veruje u savršenog, milostivog, pravednog Boga.

Srećan put, gospodo.

SPOZNAJA BOGA, JASTVO

Ko je stvorio Boga?

Niko.

Bog je Tvorac. Bog je izvor svega.

Greška se sastoji u tome da ljudi žele sve da objasne u umu, ali um je takođe Božija tvorevina. Um voli sve da razume, što nije loše kada su fizički i duhovni zakoni u pitanju. To znači da nam je um koristan da saznamo kako da živimo u svetu i kako da se duhovno razvijamo da postanemo bolji ljudi.

Ipak, za zakone Stvaranja um je jednostavno sputan. Um ne može da razume da Bog nema nikakve veze sa time da li nešto postoji ili ne postoji. Bog je jednostavno svemoćan.

Ko je Bog?

O Bogu bih mogao da napišem celu knjigu i da opet ne kažem ništa. Za nas ljude, najbitnije je da znamo da je Bog Jastvo svih živih bića. Svaka religija traži istog Boga. Imena i forme su različiti ali Bog je isti. Recimo, navešću primer iz hrišćanstva gde je Isus rekao: -Vi ste u meni i Ja sam u vama.

To je potvrda da je Bog naše Jastvo i da nas voli i brine se o nama na savršeni način jer On je mi. U svakome od nas je isto Jastvo. Svako od nas je jedan te isti Bog.

Obožavajući Boga u ljudima možemo da dosegnemo Boga u njima a zatim i u nama.

Dakle, put ka Bogu je razvijanje savršene ljubavi i saosećanja.

Kako se Bog dokazuje?

Spoznajom Boga.

Pronalaskom Boga-duše recimo u čoveku. Bog-duša je smešten u predelu srca čoveka. To je ujedno savršeni sveukupni Bog. Ovde treba izbaciti logiku uma i shvatiti da je jedan prisutan uvek, ovde i sada. Bog je sveprisutan i svemoguć.

Zamislite kada bi oko vas naređali milion ogledala. U svakome od tih ogledala videli biste svoj odraz. Bogu je stvaranje takvog čuda ništa. Vrlo prosto i lako. Lako mu je da bude Jastvo svakog atoma u Univerzumu, a zatim i Jastvo Univerzuma.

Zato je smisao života traženje Jastva, Boga koji je savršena ljubav i znanje.

Filozofi u prošlosti su otkrili jednu glavnu misao: -Čoveče, spoznaj sebe samoga.

BOG JE JASTVO

Mogu da kažem:

-Ja sam Vladimir.

To je ime mog ega i svega što predstavljam u svetu u ovom životu.

Ako bih ja ostvario Boga, rekao bih:

-Ja sam Bog.

Šta to znači?

Dok živim u svetu kao ego, mogu da kažem:

-Ja postojim.

Čim ego umre, ljudi će reći da Vladimir više ne postoji.

Kao što vidite, ako me upoređujete sa egom, bićete u pravu i ako kažete da postojim i da ne postojim. Trenutno živim, pa postojim u fizičkom svetu, ali kada umrem, a to će se desiti sigurno, to znači da već ne postojim u budućnosti, tako da ni tu nećete pogrešiti.

Pošto je Bog Tvorac Univerzuma, Univerzum je odsjaj Boga. Sa različitih aspekata, neki ljudi mogu da kažu da Univerzum ne postoji jer je samo forma koju Bog preuzima. Pošto je Bog jedini stvaran, možemo reći da je Univerzum iluzija.

Sa drugog aspekta, mi živimo i doživljavamo svet. Zato možemo da kažemo da je Univerzum stvaran, iako je Univerzum forma koju Bog želi da mi vidimo.

Zašto ovo govorim?

Ja stalno govorim da jedino Bog postoji.

Na taj način se mnogi ljudi zbune, jer vide i doživljavaju fizičku i suptilnu "realnost".

Ono što želim da objasnim je da je Bog stvoro iluzije(stvarnosti) postojanja i nepostojanja. I postojanje i nepostojanje registruje um. Ipak, i um je Božija kreacija. Takođe, ako um registruje nepostojanje to znači da je i nepostojanje jedna vrsta postojanja. Isto je i sa paradoksima bezgraničnosti Univerzuma i vremena. Sve je to iluzija koju Bog stvara.

Zato ti kažeš:

-Ja sam taj i taj.

Zato Bog ne kaže: "Ja postojim".

Bog kaže:

-Ja jesam.

Na taj način izbegavamo zamku postojanja i nepostojanja.

Prema tome, ko je taj večni, bezvremeni, neuništivi - "Ja"?

Za tebe je važno da znaš:

To je onaj koji misli, sluša, gleda, govori, oseća i deluje (ali se ne poistovećuje sa time).

Jer, ako se poistovećuješ sa time, promašio si ko si.

Na ovaj način mi shvatamo da iluzija ne prepoznaje stvarnost, već samo Jastvo, ono što ti jesi, prepoznaje Jastvo.

Ti si dokaz Boga.

ŠTA JE ČINJENICA?

Mogu ti reći da sam pojeo ukusnu hranu. Ti možeš da mi veruješ ili ne veruješ. Ako sam pojeo ukusnu hranu, za mene je to činjenica. Međutim, za tebe, bilo da mi veruješ ili ne to je pretpostavka. Pretpostavka da lažem ili ne lažem. Ti nikada ne možeš biti siguran da sam ti rekao potpunu istinu.

Činjenica nije dvosmerna ulica. Ako nikada nisi video more, to ne znači da ja nisam.

Zbog čega ovo govorim?

Zbog dve veoma važne stvari koje se stalno pominju.

Prva je traženje da ti neko drugi da dokaz Boga što je besmisleni poduhvat. To je nemoguće kao što je nemoguće da gutam umesto tebe, da dišem umesto tebe ili da volim umesto tebe. To su stvari koje moraš sam. Bog se spoznaje, ne dokazuje se.

Ako sam upoznao Boga, za mene je Bog činjenica a za tebe će uvek biti pretpostavka jer Ga nisi upoznao. Ipak, nemaš prava da me nazivaš lažovom jer ti zaista nemaš dokaza da lažem(a i govorim istinu).

Druga stvar je nastojanje da se iz filozofije izostavi Bog. Bog je merilo svega. Filozofija bez Boga je mrtva. Bog kao merilo daje nam mogućnost da spoznamo istinu, da živimo dobrotu i moralnost.

Znanje o Jastvu mora biti osnova života. Bog je naše Jastvo. Svaki čovek je Bog.

Više ne živimo u vremenu gde će nas spaliti na lomači ako verujemo u ovu istinu. Ipak, to je čista istina. Ja sam se u to lično uverio. Možda je to za nekoga samo laž ili tvrdnja, ali za mene je činjenica. Dakle, činjenica nije dvosmerna ulica. Da bi govorio o tome moraš prvo znati šta je činjenica.

Kada je čovek mrtav, činjenica je da ne može oživeti. Ipak, Isus je Lazara oživeo. To je dokaz da Bog može da promeni čitav fizički zakon ako želi.

Činjenica zavisi od Boga. Ona ne može da određuje postojanje Boga.

Na kraju ću reći samo ovo: ti ne znaš jer ne veruješ, a ne veruješ jer ne znaš.

Vera je na prvom mestu. Vera dovodi do Božije milosti i znanja. A kada dobiješ znanje, niko te ne može ubediti da Bog ne postoji, jer ti imaš dokaz pred sobom.

Zato je činjenica da Bog postoji, a pretpostavka je da ne.

Na kraju, spremio sam važno pitanje za vas:

Zar ne mislite da je pravedno i da je pošteno da kada vas Bog stvori On treba i vas učiniti Bogom kao što je i On sam? Zar zaista verujete da Bog kao savršeno ljubavno biće može stvoriti nešto uniženo u odnosu na Njega? Tako može da misli samo čovek koji čita gluposti a nije upoznao Boga.

ŽIVIŠ LI ZA EGO ILI ZA JASTVO?

Ovo nije problem samo ateista koji unapred negiraju Boga i Jastvo. Ovo je često problem mnogih ljudi.

Ljudi sebe smatraju egom. Međutim, ego nije taj koji gleda, sluša, govori, misli i deluje. To je Sopstvo koje nema savršenu samosvest. Zato ljudi upadaju u zamku misleći da su oni telo, energija ili um. Većina ljudi misli da su um. Poistovećuju se sa željama i mislima iz uma. Ako sebe smatrate telom, ne kontrolišete svoje porive i strasti.

Navešću neke primere na koji način čovek živi za sebe, a kako za ego. Recimo, ako neki čovek po celi dan puši cigarete i pije alkohol on u tom slučaju živi za ego. Zbog egoističnog uživanja uništava svoj organizam, zamračuje um i direktno šteti svojoj duši. Takođe, pušenjem i alkoholizmom sputava razvijanje svesnosti duše.

Sa druge strane, čovek može meditirati na Boga, služiti bližnjem i činiti dobra dela. Dobar primer bi bio kada sam pre nekoliko dana video izveštaj naših ljudi koji su bili da pomognu žrtvama zemljotresa i kada su opisivali neverovatna iskustva kada bi pronašli i spasili preživelog čoveka. To je recimo odličan primer života za Sebstvo gde se uz pomoć ljubavi, saosećanja i služenjem razvija svesnost duše.

Međutim, postoje i slučajevi gde sve zavisi od motiva.

Recimo neki muškarac stupa u brak da bi mogao uživati u braku putem seksa i da ima domaćicu u kući. Drugi muškarac stupa u brak da bi se požrtvovano brinuo za svoju ženu i učio da je voli bezuslovno. Prvi je život za ego, drugi je život za sebe.

To znači da mnogi naši postupci, pa čak i oni generalno dobri ne povećavaju svesnost duše jer nisu iskreni i nisu zasnovani na pravim moralnim načelima.

Život za ego nije samo protraćeni život, već je to život putem kojeg smo dobili puno negativne karme zbog koje ćemo morati da patimo i u ovom i u sledećem životu.

Zato sam rekao da moramo znati ko smo, i da moramo živeti više za sebe, a manje za ego. Kažem manje za ego, zbog toga što svaki alat, pa i ego, treba negovanje tj. održavanje.

STVARANJE KULTOVA

Otkako je Fejsbuk unapredio advertajzing, pojavljuju se mnoge grupe koje teže tome da budu uspešne i da imaju mnogo članova.

Naravno, i znalac i neznalica vole da misle kako će napraviti najbolju grupu.

Na taj način pojavljuju se mnoge grupe sa određenim temama.

Šta je ovde problem?

Bez obzira što svi vole da veruju kako su pametni i da će napraviti najbolju grupu, u stvarnosti se sprovodi dogma na osnovu koje se izdvajaju istomišljenici tako da na kraju grupa bude grupa istomišljenika. Na ovaj način, svi pokušavaju dok Fejsbuk ubire kajmak na njihovoj aroganciji i neznanju.

Kakve veze ima ovo sa filozofijom?

Jednostavno, ljudi moraju naučiti da deluju. Uspešna grupa je ona koja uspeva da održi na okupu sve vrste neistomišljenika i da opet svi imaju uspeha. Ja znam da neznanje i naivnost caruju planetom, ali ako velika većina ljudi nema pravo glasa i ako nema prava na svoju glupost ili znanje, tada napretka nema.

Neznalica može da napreduje samo ako pored sebe ima znalca. Ako neznalicu oteraš onda on nema šta da nauči.

Šta je ovde smešno?

Pa smešno je to da ipak na kraju može ispasti da je on znalac a ti neznalica. To sve zavisi od Boga i istine a ne od imaginacije pojedinca.

Prema tome, zaključak je lak.

Velika količina interakcija pokazuje za šta su učesnici zainteresovani. To možda nije znanje ali je pokazatelj trenutnog stanja koje trebaš poštovati. Znanje ima mnogo manje interakcija. Ipak, to je nešto što treba da se dostigne. I to trebaš poštovati.

Zato je uspeh održati sve na okupu.

NAUKA I PSIHOLOGIJA

KO SAM JA?(ILITI, KO SI TI?)
Mnogi ljudi prožive život tako da se ne pitaju ko su. Oni su kroz život stekli znanje o preživljavanju u ovom svetu. Oni čekaju smrt za koju misle da će sve da reši.
Šta to znači?
Smrt zaključava ovaj život i vodi te dalje. Ono što je tvoje, odnosiš u smrt. Sve što nisi ti, umire i pretvara se u prah. Zato je pogrešna izjava reći da ćemo se svi pretvoriti u prah. Tako govori čovek koji ne zna ko je.
Znanje o Sebstvu je jedino neophodno znanje koje trebaš posedovati. To znanje ti daje odgovor ko si, odakle dolaziš, kuda ideš i koji je smisao tvog postojanja i življenja.
Odgovor glasi:
-Ti si Bog. Od Boga dolaziš i Bogu ćeš se vratiti. Smisao tvog postojanja jeste Bog, koji je beskonačan, neuništiv, jedina istinska ljubav, znanje, sreća, istina i sloboda.
Ipak, da bi mogao ovo da tvrdiš, moraš prvo tu istinu iskustveno doživeti. Ti možeš ovu istinu naučiti napamet i ponavljati, ali ako ona nije iskustvena, tada ćeš sebe smatrati prevarantom. Zato trebaš verovati u ovu istinu i truditi se da je ostvariš svesno. Kada budeš svesno saznao ovu istinu, nijedno neznanje te više neće dohvatiti.
Nauka je recimo znanje o materiji. Ipak, nauka ti nikada neće dati odgovor na pitanje ko si, odakle dolaziš i kuda ideš, jer nauka je znanje o materiji, o onome što je prolazno i lažno, tj. o onome što je odsjaj Boga.

19

Ti nisi onaj u ogledalu. Ti si onaj ispred ogledala. Nauka je znanje o liku u ogledalu, dakle, lažno znanje o lažnome.

Naravno, nauka će doneti mnoga otkrića koja će olakšati i ulepšati život u svetu, ali nauka nema nikakve veze sa smislom tvog postojanja, samim tim može biti i opterećujuće znanje ako se zamlaćuješ glupostima. Pouka glasi:

Negiranje Boga je negiranje sebe. Negiranje sebe je omalovažavanje sebe. Omalovažavanje sebe dovodi do toga da ne poštuješ sebe i svoj cilj, i svoju sreću određuješ nedostižnom.

Neki ljudi mi govore kako svako ima prava na svoje mišljenje. Takvo verovanje je lažna dobrota. Zamisli da osoba koju najviše voliš želi da izvrši samoubistvo. Da li bi joj rekao kako ima prava na takve misli? Ako imaš imalo razuma, učinio bi sve što je u tvojoj moći da ta osoba ne izvrši samoubistvo. Moramo prepoznati zle ideale i boriti se protiv toga, jer celo društvo je u pitanju.

Ateizam je isto što i polagano samoubistvo. Ja sam protiv toga, zato što volim Jastvo koje se nalazi u svim ljudima, i koje čeka oslobođenje od neznanja i egoizma, da bi moglo biti slobodno i srećno.

.
KAKVO JE UČENJE ATEIZAM?
Da bi poznavao matematiku, hemiju, bilogiju, geografiju ili fiziku, nije ti neophodan Bog.

Da bi zadobio znanje o Sebstvu, neophodan ti je Bog.

Takođe, da bi rešio svoje probleme i izlečio svoje unutrašnje povrede i psihu, tu ti je neophodan Bog. Da bi zadobio sreću i slobodu, neophodan ti je Bog.

Bog je jedini koji isceljuje um.

Želje, bolesti i zablude uma su čovekovi najveći neprijatelji. To sve stvara destruktivni um koji čoveka muči i vodi na stranputicu i u nesreću. Kada um ovlada tobom, tada više ne živiš za sebe nego za iluzije iz uma. Na taj način propadaju i inteligentni ljudi.

Ja sam se 30 godina bavio duhovnim aktivnostima i, verujte mi, nikada mi nije palo na pamet da tražim dokaz Boga. Tim pitanjem sam obasut danas sa svih strana.

Sva sreća pa sam pronašao Boga pre nego što sam naišao na slepo verovanje kako svaki čovek mora da ti da dokaz Boga, jer bih pod uticajem neznalačkih pretpostavki i zahteva možda i ja zastranio. Pošto sam spoznao Boga, automatski svaka vrsta ateizma postaje neznanjem prve kategorije.

Ja se borim za sve ljude. Želim da znanje i istina ovladaju svetom. Ja nisam protiv ateista, ali sam protiv ateizma.

Ateizam je zasnovan na pogrešnim pretpostavkama, i ništa više od toga. Ateizam neće nikada dati znanje o Sebstvu, ni životu, pa čak ni o psihi i umu. Jer, zaluđeni um je uvek daleko od istine.

Dokaz je taj da nijedan ateista nikada ne daje istinu i znanje, već samo negiranje i sumnju. Nijedan ateista nikada neće spoznati Boga ni istinu, tako da i ne može doći na cilj i steći univerzalno znanje.

Znanje o Sebstvu se mora proširiti svetom. To se ne može uraditi preko noći. To se postiže strpljenjem i stalnim ponavljanjem istine. Verujte Bogu, i verujte da Bog pomaže svakome. Ne verujte u iluziju koju svet stvara. Ta iluzija treba da ojača vašu veru, jer vera je činjenica i zakon života u Kosmosu. Vera je budući dokaz Boga.

Najveći deo filozofa nije uspeo da pronađe tajnu života zbog pogrešnog obožavanja ograničenog uma, a ne svemoćnog Boga.

Optimizam je takođe zakon života.

NARCIZAM, INTELIGENCIJA I DUHOVNOST

Sve je tvoje i ništa nije tvoje.

Šta to znači?

Život je prolazan. Telo jeste tvoja svojina, ali sa smrću više nije tvoje. Kada ne poseduješ telo, tada za tebe ni Univerzum ne postoji.

Šta ti onda ostaje?

Ostaje ono što ti jesi. Bog i tvoja stečena svest. Ti si Bog i Bog je jedina tvoja svojina(svejedno kako ćeš reći). Na osnovu ovog objašnjenja možemo lako pronaći ljudske zablude i umišljanja.

Prva zabluda je poistovećivanje sa telom. Narcisi vole izgled svog tela i poistovećuju sebe sa telom. Nije ništa loše brinuti se za telo. Telo je naš instrument uz pomoć kojega skupljamo iskustva u svetu. Ono što nije dobro jeste umišljanje da mi jesmo telo. Na taj način narcis ima pogrešnu predstavu o sebi i obožava ono što on nije. To je isto kao kada bi obožavao svoju kuću ili svoj auto po celi dan.

Narcizam je problem koji može da se reši. Rešenje je Bog i spoznaja da si Bog i da je telo tvoja svojina za života i da si odgovoran za svoje i svačije telo(obratite pažnju kakvi ljudi se bave ponajviše telom).

Mnogo veća većina se poistovećuje sa svojim umom. Poistovećuju se sa inteligencijom i sa željama iz uma. Često je ljudska logika iz uma povezana sa željama iz uma. Zato je takva logika po pravilu pogrešna ali ljudi koji sebe smatraju pametnima i logičnima to naravno ne primećuju.

Opčinjenost inteligencijom iz uma je najveća zabluda, recimo, filozofa. Bilo koju istinu filozofi žele objasniti uz pomoć uma koji je ujedno ograničen. Ako je um ograničen, tada ni istina nije obuhvatna u umu.

Ovde možemo vrlo lako da shvatimo zbog čega je velika većina filozofa ateista. Zbog obožavanja pogrešnog idola, uma, dolazi do krivljenja istine. Naravno, mnogi iskusni filozofi iz prošlosti su uspeli da se oslobode ove zablude shvatanjem da je um ograničen. To se uglavnom dešavalo tako da su počeli da govore: -Ja znam da ništa ne znam.

Ipak, ovo je takođe pogrešno jer je izjava vezana sa poistovećivanje sa umom. Nije tačno da um baš ništa ne zna, jer um poznaje naša iskustva. Ipak, pravo znanje ne dolazi od uma već od Jastva, onoga što mi jesmo. Na taj način izjava je tačna ali i ujedno pogrešna jer čovek nije um. Čovek koristi svoj um.

Zbog čega pišem ovaj tekst?

Da bi svaki čovek obratio pažnju na svoje telo i svoj um i da shvati da oni nisu konačna istina. Filozof ateista ne može nikada steći pravo znanje. To ne znači da takav čovek nije inteligentan, već znači da je sebe podredio pogrešnim pretpostavkama i neznanju.

Na ovaj način možemo shvatiti da su istina i znanje u nama, a ne u stvaranju. Mi smo istina i znanje. To se otkriva putem iskustva a zatim i obradom iskustva. To se ne otkriva obožavanjem tela ili pukim umovanjem.

Ignorisanje Boga je apsolutna destrukcija i neznanje.

LOŠA STRANA FROJDA

Frojd je svoju slavu stekao otkrićem a zatim i neverovatnim probojem ideje o potisnutoj seksualnosti.

Šta to znači?

Frojd je ne samo otkrio da je potiskivanje seksualnosti štetno nego je i uspeo da taj problem predstavi celom svetu. To je bilo jako teško da se uradi u ono vreme.

Na taj način došlo se do situacije da se radi na rešavanju stvarnog problema koji je bio zataškavan dugo vremena zbog sebičnosti vladajućih.

Ipak, ako dobro pogledamo, Frojd nije došao do odgovarajućih rešenja. Čitav svoj život je posvetio psihoanalizi, ostvario je veliki napredak ali odlučujuće rešenje nije našao.

Zašto?

Postoje dva očigledna razloga.

Prvi je taj da je zbog netrpeljivosti prema crkvi i religiji unapred Boga odredio kao nemoguće rešenje. To je rezultat narcističke povrede, što je smešno, jer to je upravo deo njegovog rada.

Drugi razlog takođe ima velike veze sa prvim. Problem potisnute seksualnosti, gde se seksu pridaje mnogo veći značaj nego što treba i gde se seksu pripisuju problemi koji nemaju veze sa seksom.

Zato su vremenom i nastali vicevi o tome da pile prelazi na drugu stranu ulice zato što ima seksualnih problema(po Frojdu).

Šta je ovde bitno? Bitno je da shvatimo da narcistička povreda čini ljude slepima za istinu.

Frojdovo rešenje je trebalo biti vrlo jednostavno. Sastoji se u shvatanju da se sreća dostiže samo moralnošću. To znači da se potiskivanje seksualnosti leči moralnošću.

Problem zbog čega je u prošlosti potiskivanje seksualnosti postojao sastojao se u tome da se nisu poznavala moralna rešenja. Tačnije rečeno, nisu razlikovali moralna dela od nemoralnih(što je čest slučaj i danas). To je zbog toga što ljudi nisu poznavali Boga, i samim tim nisu moral izjednačavali sa Bogom. A to se sastoji od nove narcističke povrede koja ljudima govori da je Bog nedostižan i da je greh sebe upoređivati sa Bogom.

Čitavo rešenje je jednostavno. Ono glasi:
-Ne umanjuj sebe.

Greška Frojda se ne sastoji u tome da je bio loš čovek. On je bio dobar čovek. Ipak, pesimizam i narcistička povreda su mu zablokirali put(što ga opet kontradiktorno čini lošim).

Zbog čega je bitno ovo što objašnjavam?

Briljantna ideja koju je spoznao Frojd našla je veliki udeo u tome da su današnji ljudi jako nesrećni putem iživljavanja svoje seksualnosti. Veliki deo nesreće čovečanstva leži na Frojdovom radu zbog pogrešnih i jako loših rešenja.

Pouka glasi:

Bez Božijeg usmerenja, sve je jalovo, čak i ono što je "očigledno".

ATEISTIČKA MANIPULACIJA

Ateizam je savršeni primer savršene manipulacije.

Kako, i zašto?

24

Ateista je tako dobro izmanipulisao sebe, da on veruje kako su drugi pokušali da ga nadmudre i izmanipulišu, ali je on, ateista, pametan pa nije dozvolio.

Ipak, postoji jedna stvar koju ateista previđa. Onako kako sobom manipuliše, tako manipuliše i drugima. Na taj način ulazi u večni začarani krug neugodnosti. Kako seješ, tako žanješ. Ako manipulišeš drugima, stičeš nesreću.

Na ovome mestu mnogi ateisti bi rekli kako su vernici takođe manipulatori. Ipak, to nije nužno istinito u situacijama gde šteta nije zagarantovana.

Manipulacija je skriveno delovanje koje utiče na druge ljude da se ponašaju kako ti želiš a kako njima ne odgovara. Dakle, manipulacija je sebičnost i nemilosrdnost. Činiš štetu drugome da bi ti stekao korist(a pritom, ta korist je sebevaranje).

Pouka glasi:

Učiti ljude da Bog postoji i kako da se približe Bogu ne može se nazvati manipulacijom jer je namera ta da se pomogne ljudima. Učiti ljude da Bog ne postoji je vrlo zlo delo, jer na taj način odvajaš čoveka od sreće i Boga. To je očigledan čin manipulacije koji šteti ljudima i manipulatoru. Možda mi nećete verovati ali postoje i roditelji koje tako uče svoju decu, da ne veruju u Boga.

Propagiranje vere u Boga je dobro delo(koje može biti negativno ako se sprovodi sa nerazumevanjem). Propagiranje ateizma je zlokobna manipulacija(u svakom slučaju).

DA LI JE ISTINA BITNA?

Ateista kaže:

-Teisti ne razumeju nauku pa im je odgovor na određena pitanja:

-Bog je to uradio.

Pritom, nijedna naučna teorija nije, niti će objasniti Stvaranje. Big Beng teorija, teorija evolucije i abiogeneza su samo izmišljotine iz uma.

Šta to znači?

To znači da ateisti tvrde da Bog nije Tvorac zato što je to jednostavan odgovor. Moramo izmisliti komplikovane odgovore iako nisu istiniti da bismo glumili pamet.

NAUKA I RELIGIJA

Ateisti veličaju nauku a ismevaju Boga i religiju.

Ipak, nauka nije ateistička. Naukom se bave i teisti i ateisti. Nauka se uglavnom bavi materijom i dokazima.

Religija nije isto što i nauka jer religija i duhovnost se bave duhovnim zakonima.

Šta to znači?

Ateista samo pokušava da izjednači kamen sa ljubavlju.

Lakše je izbrojati zrna peska u pustinji nego patiti zbog greha na duhovnom, moralnom planu.

Šta je ovde problem?

Kada neki ateista pokušava da poistoveti nauku sa religijom, on tada pokazuje da samo želi da ga celi svet prepozna kao jako pametnog.

Dakle, ateizam je karma na osnovu kompleksa, kao i mnogo toga drugog.

SMISAO ŽIVOTA I STVARANJA

POTRAGA ZA BOGOM

Onaj koji ne traži Boga, nikada neće pronaći sebe, niti znanje. To je čista istina i zakon Kosmosa.

SMISAO ŽIVOTA

Od tebe zavisi hoćeš li ostvariti smisao života.
Ipak, ti ne određuješ šta je smisao života. Bog je to odavno odredio. Još na stvaranju.
Toliko je Bog savršen, sveznajući i svemogući.
Pa šta je onda smisao života?
To je dostizanje stanja svesti koje će u svemu videti Boga.
Dakle, ovde ne treba brkati ostvarenje želja i ideala sa smislom života, jer to su usputne stanice koje su dodatni poklon od Boga.

TRUD I RAD

Ja:
-Pronašao sam Boga. Imam svoj dokaz.
Ateista:
-Nisi mi dao dokaz Boga, to znači da Bog ne postoji.
Da vam objasnim drugačije:
Ja:

27

-Ja imam svoj život, svoja iskustva i svoj trud. Bog me nagrađuje.

Ateista:

-Nisi mi dokazao da imam život, i to znači da ga nemam i da ne postojim.

Isus je jednom ispričao priču o dva brata. Prvi je svakoga dana obrađivao polje uz prigovaranje, dok je drugi svakoga dana kretao u polje ali se predomislio i nije radio.

Šta to znači?

Polje iz priče je naša duhovnost.

Mnogi ljudi misle kako mnogo rade. Ipak, ti su ljudi vezani za materiju a samim tim i za egoizam. Oni rade teško, ali ne za duhovnost, nego za egoizam. Oni takođe i uče i školuju se, ali opet da bi zadovoljili egoizam.

Sve će to imati kraj na samrti. Ono što je večno jeste duhovnost. Sa smrću nosiš sa sobom svoju duhovnost. Ako nisi tragao za Bogom, nisi puno napredovao.

Zbog čega ovo govorim?

Bog je apsolutno pravedan. Niko ne dobija nezasluženo ništa materijalno. Takođe, ni duhovno.

Ateista koji traži da drugi ljudi pronađu Boga umesto njega stoji u mestu i ne miče se. Čekajući svoj dokaz Boga od drugih, čeka svoju slobodu i sreću(to naravno neće doći bez truda i žrtve).

To se zove nevera i lenjost.

Ne dozvolite da drugi rade za vas. To je iluzija. Bog je pravedan i nagrađuje srazmerno vašem trudu na polju dostizanja Božijih atributa.

JEDINI PUT

Svi putevi imaju dokazano nesrećan kraj. Jedino je put prema Bogu obećavajući.

Šta to znači?

Ateisti nas ubeđuju da krenemo bilo kojim putem sigurne propasti samo zbog toga što sumnjaju u ispravnost jedinog obećavajućeg puta. Čudna neka logika, zar ne?

Pouka glasi:

Na mom putu prema Bogu dobio sam dokaz Boga. Dobio sam dokaz ispravnosti puta vere u Boga.

Mnogi vernici možda nisu još uvek dobili dokaz Boga ali su zahvaljujući ispravnoj logici došli do zaključka da Stvaranje ima svemoćnog Tvorca. To je pravi zaključak i to je istina.

Pitanje glasi:

Čemu sumnja u Boga kada je sumnja u Boga jedini sigurni put u propast, već u startu?

VAŽNOST SOPSTVENOG ISKUSTVA

PREDRASUDE ATEISTA

Ateisti pitaju šta nas tera da verujemo da Bog postoji? To je isto kao kada bih ja pitao ateistu šta njega tera da veruje da živi na planeti Zemlji?

Pouka glasi:

Nijedan ateista nije spoznao Boga. Ja jesam. To znači da ja znam Boga i znam istinu o Bogu. Nijedan ateista to ne zna.

ATEISTIČKA VREDNOST

Ateisti su sposobni u potpunosti zanemariti i ignorisati sebe i svoje iskustvo samo da bi ostali pri tome da dokaza za postojanje Boga nema.

Tvoje životno iskustvo jeste skup svih tvojih činjenica koje si usvojio direktnim doživljavanjem.

Ono što si doživeo, tvoja je realnost. Ignorisanje sopstvenih životnih iskustava predstavlja veliki problem. Taj problem se manifestuje tako da osoba ne ceni i ne poštuje sebe. To znači da ne ceni svoje misli i osećanja, svoja iskustva, svoj život i svoju ličnost. Sve to ignoriše i stavlja u službu negiranja Boga.

Pouka glasi:

Oduvek sam želeo da naglasim važnost samopoštovanja i sopstvene vrednosti. Te osobine se dobijaju prisustvom Boga. Božija blizina leči usamljenost, nedostatak samopoštovanja i sopstvene vrednosti.

Takođe, želeo sam da naglasim da bez obzira kakve loše osobine da imate, morate prepoznati i svoje dobre osobine i priznati ih. Ljudi će vam reći da je to arogantno i narcisoidno, ali zadovoljstvo sobom je vrednije od njihovih osuda. Na kraju krajeva, dostojanstvo je Božije, ponos je Đavolov. Ponos je najgora ljudska osobina. Bodrenje sebe zbog pozizivnosti koje imaš ne znači da si ponosan.

Pitanje glasi:

Ako bi ti neko izvodio čuda, um bi i dalje sumnjao. Fizičko čudo ne može biti dokaz da Bog postoji. Subjektivni doživljaj je najbolji dokaz. Šta znači kada se subjektivni dokaz, koji je jedini validan, kompromituje?

ISTINE RASUĐIVANJA

"Truths of reasoning are necessary and their opposite is impossible; those of fact are contingent and their opposite is possible." - Gottfried Leibniz

Dugo vremena sam objašnjavao na društvenim mrežama da su dokazi posredne prirode i kao takvi više izazivaju sumnju nego što bilo šta dokazuju, dok direktno iskustvo donosi znanje i istinu.

Šta je ovde bitno?

Istina je nepromenljiva bez obzira na bilo čije mišljenje.

Zamislite da je neki čovek bio prisutan u banci dok se odvijala pljačka banke. Svi ljudi koji su prisustvovali pljački imaju svoju verziju događaja jer su je svi doživeli iz svog ugla. Te ljude možemo konstatovati kao religije. Ono što je bitno, svi ti ljudi znaju da se pljačka banke desila.

Kada budu pričali o događajima iz banke, neko će im verovati, dok neko neće verovati.

Kako?

Ako odvedeš nevernika na mesto događaja pljačke, pokazaćeš mu obijen sef. Nevernik će reći da to nije dokaz jer je neko mogao uneti sef i predstaviti ga kao obijeni.

Takođe, možemo reći, evo ova žena je povređena tokom pljačke, nevernik će opet reći kako nema dokaza za to. Ta žena može reći kako jeste bila prisutna i povređena je i pokazaće povredu ali čovek koji sumnja neće verovati jer možda žena laže i možda se povredila na drugom mestu. Kao što vidite, ovaj filozof je maestralno objasnio razliku između znanja, istine i iskustva u odnosu na varljive činjenice i dokaze.

Mnogi ateisti-filozofi citiraju Dawkinsa ili Huxlya koji su samo želeli da svoja mišljenja okarakterišu istinom a tuđa mišljenja(pa čak i istine) lažima.

Zamislite Dawkinsa koji kaže da se svaka tvrdnja može negirati pri nedostatku dokaza. Pa gde je njegov dokaz da je njegova tvrdnja tačna? Njegova tvrdnja uopšte nije pravilo istine.

ISKUSTVO I TEORIJA

"Experience without theory is blind, but theory without experience is mere intellectual play." — Immanuel Kant

Kada steknemo stvarno iskustvo mi spoznajemo istinu i znanje.

Ako smo stekli iskustvo seksualnosti, mi ne moramo da pravimo teorije o seksualnosti.

Isto je i sa Bogom.

Ako smo stekli iskustvo Boga, nema potrebe da pravimo teorije o Bogu. Mi imamo znanje. Međutim, neki drugi ljudi nemaju to znanje.

Da li su religije u stvari teorije o Bogu na osnovu nedovoljnih i dovoljnih iskustava?

Slažem se da je teorija bez iskustva najobičnije mozganje u umu koji svakako za sebe voli da misli da je pametan i logičan.

Pouka glasi:

Iskustvo donosi znanje. Ipak, zdrav um od tog znanja može napraviti ispravnu teoriju.

VERA I ZNANJE

ATEISTIČKA VERA

Ateizam nije "nedostatak vere u Boga".

Mnogi ateisti tvrde da bi verovali u Boga kada bi dobili dokaz. To nije istina. Dokazi su posredne prirode i opet moraš verovati. Mnogi vernici nisu dobili dokaz Boga ali se ne klasifikuju kao ateisti. Ateizam je neverovanje u Boga.

Smišljanje zbunjujućih definicija je samo prikrivanje nedostatka hrabrosti da kažeš u šta veruješ da ne bi ispao neznalica.

Dakle, "nedostatak vere u Boga" stavlja te u položaj da si uvek u pravu i da ne moraš da znaš ništa.

Ipak, postupci ateista i njihova želja da Boga predstave nepostojećim ili nedokazanim pokazuje u šta ateisti veruju.

VERA I DOKAZ

Mnogi ljudi koji imaju averziju prema Bogu čine sebe slepima na taj način da veru nipodaštavaju.

Šta to znači?

Vera je zakon života. Vera je činjenica. Vera je dokaz.

Kako i zašto?

Kada se ujutru probudiš, ti znaš da si se probudio i znaš da si spavao. Ustaješ iz kreveta jer veruješ da možeš. Kada bi znao da ne možeš, ne bi ni pokušao da ustaješ iz kreveta. Vera uvek postoji. Znanje donosi još stabilniju veru. Vera postoji nezavisno od znanja.

Bez vere ne bi učio, ne bi se zaposlio, ne bi stvarao porodicu ni tražio partnera.

Zato je glupo ponižavati veru samo zato što je vera takođe neophodna u potrazi za Bogom. Sve se u životu pronalazi verom. I Bog, i sreća, pa i dokaz nečega. Vera stvara dokaz. Ako se neko pojavi sa modricom ti ćeš lakše verovati da je ta osoba dobila udarac. Onaj koji je zadao udarac, verovao je da će na taj način povrediti tu osobu jer je verovao(verovatno pogrešno) da ona to zaslužuje. Jako je smešno unižavati veru.

Recimo, ateisti veruju u izmišljeni dokaz Boga za koji ne znaju ni šta je, ni kakav je. Celi Univerzum je dokaz Boga, ali ateista to ne može znati jer nije pronašao Boga Tvorca u Univerzumu(stvaranju).

A zašto nije našao?

Pa zato što ne veruje.

Ono u šta ne veruješ nećeš nikada ostvariti.

Svakako da nečija vera može biti izopačena, ali to je činjenica za svakog čoveka, ne samo za religiju.

Pouka glasi:

Vera u religiji ne postoji da bi se ljudi navukli na nešto loše, nego zato što ti je za sve u životu što radiš potrebna vera da ćeš uspeti.

Vera je zakon, činjenica i dokaz života.

Koliko puta je do sada novi naučnik negirao staroga novim dokazima?

Bezbroj puta.

Ne postoji nijedan siguran dokaz koji bi te odveo do Boga osim vere u Boga.

Vera u Boga čini da postaneš pravedan i samilostan. Pravda, dobrota, samilost i ljubav prema Bogu te čuvaju od stranputice.

Od čega te čuva nevera u Boga?

Ovde se potvrđuje neugodna istina. Neverovanje da ti jesi Bog je osuda sebe samoga. Ti u stvarnosti veruješ da savršenstvo ne zaslužuješ. Zato je negiranje Boga negiranje sebe samoga, negiranje dostižne sreće, istine i znanja. Bog veruje u svakog čoveka. Božija vera je savršena. Zato je Bogu lako da se brine za svakog čoveka. I za vernika i za nevernika.

Ipak, nevernik Božiji sebi život čini teškim. Ovo je apsurdno jer vera stvara drugačiju psihu pa čovek koji ima lošu karmu bolje se oseća nego čovek koji ima dobru karmu ali ne veruje u Boga.

PREDNOST VERE U BOGA

Ja izuzetno poštujem svakog vernika i svaku religiju.

Zbog toga što sam spoznao Boga, ja znam da je isti Bog prisutan u svim religijama i svaka religija ima drugačiji put obožavanjem drugačijih Božijih atributa, formi i imena.

Cilj je svuda isti.

Teisti imaju jednu veliku prednost u odnosu na ateiste.

Teisti priznaju Boga i veruju u Boga.

Bog je apsolutna ljubav i apsolutna sreća.

Mnogi teisti sumnjaju u ovu izjavu zbog zla koje se dešava u svetu i zbog nesrećnih sudbina.

Ipak, Bog ne može da bude samo apsolutna ljubav nego i apsolutna pravda. Svako mora da dobije po zaslugama i po svojim delima.

Čovek koji veruje zaista u Boga, veruje i da mora postati savršeno dobar i milosrdan čovek.

To je njegovo najsnažnije oružje.

Putem životnih iskustava, teista dobija potpunu veru u Boga i pronalazi Boga.

Pouka glasi:

Nijedan ateista nije nikada pronašao Boga. Samim tim, nije našao savršenu sreću, ni znanje ni slobodu.

Naravno, ovo ne znači da je ateista na svetovnom planu gori i nesrećniji od drugih ljudi.

VERA U BOGA

Primetio sam da ateisti i mnogi vernici religiju posmatraju kao veru. Šta to znači?

Ako imaš roditelje, ti znaš da ih imaš. Ipak, i pored toga što znaš da imaš roditelje, moraš verovati u njih. Moraš verovati da će te voleti i čuvati. Isto tako, religija nije samo vera. Religija je put prema Bogu i sopstvenom spasenju.

Nije tačno da je religija vera u nešto nedokazivo. To misle ateisti i mnogi vernici.

Bog je dostupan svakome čoveku. Svaki čovek će na kraju otkriti i spoznati Boga. Za sve to vreme čovek treba imati veru u Boga inače Ga neće spoznati. Spoznajom Boga, ti dobijaš dokaz Boga. Ipak, i dalje ćeš morati verovati u Njega. I dalje ćeš morati da putuješ ka Njemu do konačnog sjedinjenja.

Ono na šta želim da ukažem jeste uniževanje Sebstva. Mišljenje da čovek ne može dostići Sebstvo-Boga, pokazuje omalovažavanje sebe i drugih.

Oslobodite se ovog demona.

PARODIJA TEIZMA

Napomena: prvi deo teksta je parodija ali je poučan.

Šta je teizam?

Teizam je nedostatak verovanja u tvrdnju da Bog ne postoji.

Šta to znači?

To znači da teizam ne veruje u ništa.

Teizam je najobičnija pozicija.

Ateista tvrdi da ne postoji dokaz Boga. Mi samo ne verujemo u tu tvrdnju. Sve drugo što dodate nema nikakve veze sa teizmom.

Mi samo čekamo da ateisti dokažu i da nam pruže dokaz da Bog ne postoji i onda zauvek možemo da verujemo da Bog ne postoji.

Ima li ovde nečega smešnog?

(sada ide ozbiljni deo teksta)

Šta mislite, zbog čega ateisti pokušavaju da prikriju da su vernici, da oni u stvarnosti veruju u ateizam?

Već sam vas upozorio da ne dozvolite da bilo ko obezvređuje vaš život, vaše iskustvo i vaše znanje. To su vaši lični, pravi dokazi.

Dokazi koje ateisti pominju su posredni a takođe i nepoznati, jer otkud ateista zna kakve dokaze traži za bilo šta? Ateista samo pretpostavlja i nagađa na osnovu nasumičnih misli iz uma.

Vera je sastavni deo vaše ličnosti i vašeg života. Bez vere nikada ništa ne biste mogli da postignete. Vera je najveća vrlina. Bog je stvorio Univerzum sa verom u čovečanstvo. Bog ima potpunu veru u svaku dušu.

Danas mnogi ljudi, a ponajviše ateisti žele da prikažu veru kao manu. To je krajnji apsurd. Ne postoje ni slepa vera, ni slepa ljubav, već samo ljudi koji ne žele da vide ni da znaju.

I sam Isus je rekao da kada bi čovek imao vere kao zrno gorušice, mogao bi da pomera brda i planine. Tako je i nastao citat: "Ako neće Muhamed ka bregu, onda će breg ka Muhamedu".

Pouka glasi:

Ne dozvolite da vam bilo ko ubija veru. Ateisti ubijaju veru zbog čiste pretpostavke i zablude iz uma, verovanja da je vera loša.

Ipak, čak i da ne biste verovali u nešto morate prvo da verujete da ne treba da verujete. To je obični paradoks u stvaranju.

Vera je so života koja život čini ukusnim.

Bez vere nijedno znanje nije dostupno. Veruješ kada ne znaš. Veruješ i kada znaš. Kao što vidite, vera je prisutna i u znanju i u neznanju.

Da li ste ikada čuli nekog naučnika da kaže:

-Znam da je Zemlja okrugla, ali ne verujem u to".

37

Smešno, zar ne?

Prema tome, kada vam neko kaže da je ateizam nedostatak vere u Boga, vi ga samo pitajte:

-Veruješ li u tu definiciju?

I odgovor "da" i odgovor "ne", dokazuju poentu.

PRAVA VERA NIKADA NE OČAJAVA

LJudi se mršte na ratove, ali stalno ratuju. Takođe, ljudi žele znanje ali se distanciraju kada naiđu na znanje.

Šta to znači?

Mnogi ljudi, u skladu sa svojim zabludama i željama iz uma tvrde nešto što ne znaju.

Ako neko ne primećuje tvoju dušu već samo tvoj pojavni izgled, ne možeš verovati tom čoveku.

Ipak, glupo je ne verovati u čovekovo učenje i u njegovu promenu na bolje u budućnosti.

Kada neko gleda samo spoljašnji svet, takav čovek misli da je sve loše i sve je u stagnaciji.

U stvarnosti, na unutrašnjem planu, sve se menja.

Zbog čega ovo govorim?

Kada radiš nešto pozitivno, naići ćeš na otpor i omalovažavanje. Ljudi imaju navike, i ma koliko da su im navike negativne, drage su im i ne žele se odvojiti od njih.

Pouka glasi:

Radi ono što je pozitivno. Očekuj otpor i odbijanje i ne očajavaj nikada! Taj otpor i odbijanje su samo privremena reakcija zbog unutrašnjih promena koje nastaju.

TEISTI I NAUKA

Neki ateisti žele da prisvoje nauku na taj način da religiju odvajaju od nauke, pa je nauka ateistička, a religija teistička. Međutim, ogroman procenat naučnika su teisti. Neki od najuspešnijih naučnika iz prošlosti su teisti. Dakle, nauka nije ateistička. Apsolutno je neznanje uporeðivati nauku i religiju. Religija uključuje Boga i duhovnost. To ima vrlo malo veze sa naukom. Zato su teisti takoðe ne samo vernici nego i naučnici. Pa šta ostaje ateistima da prisvoje? Ono što su oduvek imali: sumnja, nevera, neznanje, zabluda i slaba logika. To su glavne svojine ateizma.

RELIGIJA

RELIGIJSKA FOTELJA

Činjenica: ljudi su napisali religijske spise. Želeli su da prenesu poruke Mesija čovečanstvu.

Činjenica: mnogi ljudi su pogrešno razumeli a neki su namerno zloupotrebili religiju.

Činjenica: mnogi ljudi su stekli bliskost sa Bogom i slobodu uz pomoć religije.

Činjenica: mnogi ljudi su se razočarali zbog religije jer su ih podučavali neupućeni vernici. Ti ljudi imaju pravo da se ljute. Ipak, to nije dokaz da religija ne valja već da mnogi ljudi ne valjaju.

Činjenica: ako na osnovu lažnog procenjuješ istinu, velika je verovatnoća da ćeš i ti postati lažnjak.

Šta to znači?

Znanje o Bogu je svetinja. Ljubav prema Bogu je ljubav prema sebi. Svaka religija je ispravna. Samo trebaš voleti sebe, Stvaranje i Boga.

Ovde želim da objasnim jednu stvar ljudima.

U svakoj religiji se nalazi delo Avatara, Mesije ili Boga. To nije nešto što bi trebalo olako da se potcenjuje. Svaka religija opstaje hiljadama godina zbog uzvišenih dela i ljubavi.

To se nikada ne može pobediti, ni uniziti.

Ne treba mrzeti nijednu religiju. Čuvaj sebe i svoje srce od zlih misli i zlih dela.

Štiti sve ono što je vredno i sveto u religiji jer na taj način zaista štitiš sebe i društvo.

Šteta koju činiš uniжavanjem religije nije manja od štete lažnih vernika.

ZBOG ČEGA RELIGIJE POSTOJE I DA LI SU SVE RELIGIJE PRAVE?

Vernik je čovek koji veruje da Sunce postoji i traži izlaz iz pećine da bi ugledao Sunce. Ateista je čovek koji sedi u pećini verujući da mu neko drugi treba doneti Sunce u pećinu.

Šta to znači?

Religije su već odavno rešile problem ljudske inkarnacije.

Religija je put ka Bogu. Da bi stigao do Boga prvo moraš verovati u Boga a zatim tražiti Ga i pronaći Ga.

Postojanje mnogih religija pokazuje raznovrsnost Stvaranja da postoje mnogi načini dostizanja Boga ali je samo jedan put.

To je put koji sam već opisao:

Veruješ u Boga i cilj Stvaranja, tražiš iskreno, pronađeš i ostvaruješ svoj smisao i svoju sreću. Niko ti ne može darovati nezasluženo samoostvarenje.

Dakle, religije postoje da čovek ne bi gubio svoje dragoceno životno vreme postavljajući sebi suvišna pitanja i živeći isprazno i pogrešno.

Ljudi stalno govore kako ne mogu sve religije biti ispravne. Mora biti ispravna samo jedna. A pošto ima na hiljade religija verovatno ni ta jedna ne valja.

Ovakva konstatacija je smešno ljudsko neznanje. Ima mnogo ljudi ali svako od nas je čovek. Ima mnogo vrsta ali sve su to životinje. Ima mnogo krava ali svaka daje mleko. Zato i svaka religija može dati isti proizvod.

Šta je ovde bitno?

Ne tumači se istina iz religije na osnovu bukvalizacije religioznih mitova i poistovećivanjem sa fizičkim svetom. Traži se duhovna istina i vrlina koje se ostvaruju samo u nama samima.

Danas ateisti pokušavaju da ubede celi svet da ispravan put nije ispravan već da je ispravan nemogući, destruktivni i neostvarivi put koji su oni izmislili u svom umu. Oni tvrde da moraš sedeti u pećini u mraku, ne raditi i ne verovati u ništa i cilj samo treba da ti dođe u potpunom mraku gde sediš i čekaš.

To je apsolutno pogrešno i nemoguće.

Ovaj primer sedenja u pećini je odličan jer pokazuje da ne trebamo verovati u nepouzdane dokaze već moramo verovati u sopstveni rad i iskustvo, i to naše iskustvo je jedini sigurni dokaz i znanje. Posredni dokazi su samo novi izražaj sumnje. Traženje dokaza Boga od drugih ljudi je apsolutna nezainteresovanost za istinu i nevera u sebe i Boga.

Stekni iskustvo radom na svojoj svesti i vrlinama i steći ćeš direktno iskustvo Boga i sreće.

ZNANJE

Ateisti:

-Mi ćemo jednoga dana saznati istinu o Bogu. Do tada ne verujemo u Boga.

Religije:

-Mi odavno znamo istinu o Bogu. Bog postoji.

Ateisti:

-Mi ne verujemo da religije znaju istinu o Bogu.

Religije:

-Mi znamo da ateisti ne veruju da religije imaju znanje o Bogu. Kako će verovati kada ne znaju?

MORAL

SUBJEKTIVNI MORAL

Pojam subjektivnog morala postoji ali nije validan kao pravilo ili merilo.

Postoje samo subjektivna moralna i nemoralna dela, isto kao i subjektivni doživljaji tuđih moralnih i nemoralnih dela.

To znači da nijedan čovek nema moć da određuje da su njegova dela moralna ako su u stvarnosti nemoralna.

Objektivni moral ljudi mogu slediti, ali ni taj moral nije apsolutan. To je zbog toga što postoje različite situacije. Recimo, neko može ubiti životinju da bi je spasio muka, dok neko drugi ubija životinju da bi je pojeo. Prvi slučaj je moralan, drugi ne.

Apsolutni moral je Bog. Božiji moral je jedini ispravan. To znači da Bog u svakom trenutku postupa savršeno i bezgrešno.

Bog jedini ima apsolutno slobodnu volju koju ne mora da otplaćuje jer uvek čini samo dobro.

Zato se čovek izjednačava sa Bogom sve dok u tome ne uspe.

NEMORAL

Jedna od glavnih boljki savremenog društva je stalni pokušaj da se pomere granice nemorala.

Šta to znači?

Ozakonjenjem nemorala i mnogih aktivnosti stopa kriminala se smanjuje(prividno).

To je vrlo prosto da se zaključi. Neke zemlje u novije vreme imaju nižu stopu kriminala zato što su granice nemorala podignute.

Zamislite recimo kada bi se vratilo kažnjavanje za pušenje cigareta i alkohol? Pa skoro svaki čovek bi bio kriminalac sa dosijeom.

Nije čudno ako neke zemlje ozakone prostituciju da nivo kriminala opadne. Ipak, informacije govore da ozakonjenje nekih nemoralnih aktivnosti nije donelo ništa dobro tim manjinama osim dodatnih nameta i tereta. Te manjine i dalje trpe zlo i ponižavanje. Čak imaju više obaveza.

O čemu se ovde radi?

Bez obzira na zakon države, karma radi nepogrešivo. Svaki nemoral se u realnosti ne isplati. Možemo smanjiti stopu kriminala do čiste nule, nemoral će uvek biti požnjet kako je posejan.

Mi idemo ka novom dobu. Razvoj ljubavi je neophodan. Nijedno društvo neće napredovati opravdavanjem nemorala, već samo podsticanjem međusobne duhovne ljubavi i moralnosti.

Novo doba bez Boga ne može biti uspostavljeno. Bog je merilo svega. Bog će biti merilo i novog doba.

U celokupnoj prošlosti nijedno društvo nije valjalo jer Bog nije bio uzet kao merilo. Čak ni u vreme kada su pojedine religije bile jake i imale uticaj.

Celi svet prolazi kroz iskustvo pokušaja da se nemoral ozakoni. Čak i da se ozakoni, iskustvo će pokazati realnost. Kada te zmija ujede i guštera se plašiš.

Bojaće se ljudi opet nemorala. Ne zbog straha od Boga, niti zbog osude okoline. Već zbog sopstvenog iskustva.

CENZURA BOGA

Najnoviji način stvaranja savremenih robova:
Ubedi čoveka da Bog ne postoji, i vladaj njime doveka.

Kako i zašto?

Neverovanje u Boga stvara lažno znanje. Lažno znanje je apsolutno neznanje. Čovek u apsolutnom neznanju nije nikakva pretnja zlu, iako nervira okolinu.

U čemu se sastoji to neznanje?

To ti je isto kao kada vidiš lepu i veliku zgradu i prvo što pomisliš jeste da je ona sama izrasla. Ona nema ni arhitektu, ni zidara.

Kada odsečeš i arhitektu i zidara, tada više nemaš nikoga ko bi te naučio da izgradiš svoju zgradu.

Bog je jedini izlaz iz robovanja egoizmu. Ako ljudi sačuvaju egoizam, ne mogu steći slobodu i znanje.

Šta to znači?

Ubedi čoveka da greh i nemoral ne postoje i gledaj ga kako se muči.

Krvnik postaje "spasitelj".

Cenzura Boga je grešno delo prve kategorije.

DOGMA

Zbog toga što govorim da je Bog krajnji i jedini cilj Stvaranja neki ljudi takvu izjavu smatraju dogmom.

Međutim, isti ti ljudi pokušavaju da mi objasne kako moram da verujem u svačije gluposti zbog savremenog idiotskog uverenja da se svačije mišljenje mora poštovati. Čak i postavljaju pravila kako trebam pisati svoje duhovne tekstove.

Naravno, ti ljudi previđaju da oni mene teraju da živim po njihovim zabludama iz uma. Kada ti neko kaže da trebaš prihvatati svačije mišljenje i kakvi trebaju biti tvoji tekstovi, tada je to dogma. Dogma nije kada kažeš šta je krajnji cilj. Do krajnjeg cilja možeš doći na svoj unikatni način. Kada ti govore kako da živiš tada je to dogma. Otkrivanje cilja ti samo pomaže da ne lutaš nesrećnim putevima i da možeš sam svoj život da usmeriš ka Bogu kako tebi odgovara.

45

Naravno, zakoni važe za sve. Zakoni Stvaranja se ne mogu izbeći, i bolje je da ih poštuješ.

Pouka glasi:

Prava dogma je pokušaj da se odbrane neznanje i sebični interesi čoveka. To se čini već hiljadama godina. Sazrilo je vreme da se tome stane na kraj.

Ateizam danas nesvesno i na osnovu neznanja i narcističke povrede pokušava da ugasi Božije učenje i ljudsko dostojanstvo.

Recite NE dogmi medija i sebičnjaka.

Usmerite svoj um na Boga i spasite sebe i čovečanstvo. U sklopu toga, živite svoj život želja i ideala. To vam niko ne brani, pa ni Bog. Čak, štaviše, Bog će vam pomoći u ispunjenju želja na pozitivan način koji će vas zaista usrećiti.

Neka vas ružne sudbine upozoravaju da se do cilja ne može doći prevarom i zlim delima.

Budite blagosloveni.

POGREŠNA PITANJA I PRETPOSTAVKE

EVO VAM DOKAZ O POSTOJANJU BOGA

Ako krenemo logično da razmišljamo, doći ćemo do zaključka da svet od negde dolazi. Međutim, ono što um ne može da shvati je kako materija može da nastane iz ničega? Ili može? Zamisli da si izašao na ulicu. Pada sneg. Dok hodaš, naiđeš na Boga.

Bog ti kaže:

- Zdravo. Kako si? Ja sam Bog.

Ti mu kažeš:

- Zdravo. Hvala na pitanju, dobro sam. Jašta vidim da si Bog(Bog se odmah prepoznaje). Nego Bože, gde Ti živiš?

Bog odgovara:

- Tu blizu, gore na brdu. Hoćeš da ti pokažem?

Ti kažeš da hoćeš.

Penjete se uz uzanu stazu prekrivenu snegom. Stižete do male kućice. Tada ti Bog kaže:

- Evo, to je moja kuća. Hoćeš da uđeš unutra na čaj da vidiš kako živim?

Ti se složiš i uđeš u kuću. Vidiš sve Božije stvari· i krevet, i sto, i stolice. Popiješ čaj sa Bogom, zahvališ se, pozdraviš i odeš.

Putem naiđeš na dobrog prijatelja. On te takođe pita kako si i šta ima novo.

47

Ti mu kažeš da si maločas sreo Boga i da ste popili čaj u Njegovoj kući.

Prijatelj ti kaže:

- Ma šta pričaš? Kakav Bog? Bog ne postoji. Dokaži mi da si Ga sreo.

Ti prijatelja povedeš sa sobom uz stazicu na brežuljku. Kažeš:

-Evo, ovo su moji tragovi a ovo su Božiji dok smo se penjali. Ovi tragovi u snegu su ti dokaz.

On ti kaže:

- Ma kakvi tragovi da budu dokaz? To ništa ne dokazuje.

Onda ga dovedeš do kućice. Kucaš a niko ne otvara. Vidiš da su vrata otvorena i uđeš.

Tada kažeš svom prijatelju:

Evo, ovo je Njegov krevet, a ovo su šolje iz kojih smo pili čaj.

Prijatelj ti kaže:

-Ma šta pričaš, otkud to može biti dokaz da ste ti i Bog pili čaj? Dokaži.

Tada ti daš predlog da zajedno sačekate Boga da se vrati. Ipak, Bog se ne vrati.

Prijatelj te i dalje ubeđuje da nisi imao nikakav dokaz.

Ova priča usmerava na dve veoma bitne stvari.

Prva je ta da je svet Bog prerušen u svet. Celi svet je dokaz Boga. Ne radi se o tome da nemaš dokaza, već da dokaze ne uvažavaš. Ako svet tebi nije dovoljan dokaz, tada i ne možeš naći bolji dokaz.

Zato je traženje dokaza o postojanju Boga nemoguć i nelogičan zadatak lišen razuma(iako zvuči neverovatno). Pravi dokaz je direktno iskustvo Boga.

U priči vidimo da iza Boga ostaju dokazi(kao što su bili tragovi u snegu), ali materijalistički usmeren čovek to ne može da uvaži.

Jedino razbijanje sumnje je da Boga upoznaš. Da je tvoj prijatelj u priči upoznao Boga, verovao bi.

48

Zato se Bog spoznaje, a ne da se dokazuje. Nijedan dokaz ne dokazuje postojanje Boga(ali i dokazuje, što zavisi od gledišta). Dokazuje samo ako Ga upoznaš.

A šta moraš uraditi da bi upoznao Boga?

Moraš Ga pronaći.

Moraš pratiti Njegove tragove da bi došao do Njega. Na ovome mestu prvi i glavni korak je da veruješ da ćeš Ga pronaći prateći tragove. Gde su sakriveni ti tragovi? U tvom životu i u svemu što ti se dešava. Ne postoji niti jedna slučajnost i nijedna besmislica koja ti se dešava u životu.

Zato je verovanje u Boga ispravan put, a traženje dokaza u svetu o postojanju Boga nemoguć i besmislen zadatak.

Nadam se da ste me razumeli. Dokazivanje Boga na osnovu materije i činjenica je apsolutno besmislen zadatak. To se ne radi.

Odustani od toga dok još imaš vremena. Život i vreme nisu za bacanje.

DA LI SE BOG NALAZI U LEVOM ILI DESNOM DŽEPU?

Pre neki dan sam uzeo Boga, stavio sam Ga u prednji levi džep i krenuo u šetnju.

Uz put sam sreo onog mog druga što nije verovao da sam bio kod Boga kući i popio čaj.

Pitao me je gde sam krenuo, a ja mu rekoh:

-Evo, stavio sam Boga u prednji levi džep i krenuo u šetnju.

On me je pitao razrogačenih očiju:

-Šta, držiš Boga u džepu? Pokaži mi Ga.

Rekao sam mu:

-Ne mogu. Svako sebi mora da nabavi svog Boga. Ja ti Ga ne mogu dati.

Onda je on iz ne znam kog razloga pokušao ukrasti Boga i gurnuo je svoju ruku u moj prednji levi džep. Tu sam ja primetio da je Bog upotrebio svoje moći i prešao u prednji desni džep.

Rekao sam mom drugu:

-Ne možeš mi Ga ukrasti. Sad je prešao u desni džep.

Kada je gurnuo ruku u desni džep, Bog je opet upotrebio svoje moći i prešao u levi džep.

Moj drug je otišao, mislio je da ga zezam.

Pouka glasi:

Kada nađeš Boga, ne može ti Ga niko ukrasti. Bog ne može da se ukrade, niti da se pronađe na silu. Bog se iskreno zaslužuje.

Kao što vidimo, traženje Boga nečasnim delima nije ostvarivo.

Šta ti vredi što je neko Boga pronašao, kada ti nisi?

Ako neko ima para u džepu, a ti nemaš, onda si švorc. Ako si švorc, to ne znači da drugi nemaju para.

Mnogi ljudi pitaju da im date dokaz Boga. Zašto bi Bog to učinio mogućim?

Bog je pravedan, nije pošteno da neko mnogo radi na sebi(a za spoznaju Boga moraš mnogo raditi), i zatim ti samo zatražiš dokaz i dobiješ ga. E jeste. To je baš pametno i pravedno!

Naravoučenije:

Mnogi ljudi su spoznali Boga. Možeš i ti. Oni koji su Ga spoznali, mogu ti dati put i cilj, ali putem do cilja moraš ići sam.

Zamislite kada bih ja tražio sada da mi vi svi dokažete ovde pisanom rečju da ste srećni. I na svaki odgovor koji mi date da kažem kako to nije dokaz već fantazija ili pretpostavka. Kada biste imali vere, sami biste dostigli Boga. Ne biste tražili dokaz jer biste znali da je to besmisleni zahtev.

Zamislite Boga kao savršenu sreću, savršenu ljubav, savršeno znanje i istinu, savršenu pravdu(On je i mnogo više od toga). Postavljajte pitanja u skladu sa time.

STRAW MAN FALLACY

Da bi neko mogao da konstatuje termin "straw man fallacy" morao bi posedovati znanje i iskustvo.

Ja nemam strah da ću biti pobeđen u debati od strane ateista zato što poznajem Boga, znam da Bog postoji i posedujem iskustvo Boga. Moje tvrdnje u vezi Boga su tačne i istinite. Moje znanje nije zasnovano na knjigama i učenju već na stvarnom iskustvu. Na ovaj način, moje tvrdnje o Bogu ne mogu biti straw man fallacy. Zašto ateisti izjave o Bogu smatraju kao "straw man fallacy"? Zato što neguju zabludu da ako nešto nije dokazano tada nije istina. To je smešno jer ja kada sam jeo, ja znam da sam jeo. Ne treba mi dokaz da sam jeo i nedostatak dokaza ne znači da nisam jeo. Jedino ateista čini straw man fallacy kada pretpostavlja da nešto nije tačno ako nije video dokaz.

Iako ateisti vole da koriste termin strawman fallacy, žao mi je što to moram da kažem ali bilo koja tvrdnja ateista u vezi Boga jeste strawman fallacy zato što ateista ne poznaje Boga i svaka njegova tvrdnja u vezi Boga je mašta i pretpostavka.

Pouka glasi:

Svaki ateista u debati o Bogu čini strawman fallacy.

AD HOMINEM

Kada je "ad hominem" u pitanju, čak i čovek koji je dao definiciju ad hominema nije znao značenje.

Šta to znači?

Definiciju nečega je lako napraviti ali u nekim slučajevima je nemoguće primeniti ili shvatiti.

Da bi čovek uspešno prepoznao ad hominem, mora znati osnovne stvari.

Mora znati ko je, ko je Bog, i najvažnije, mora znati šta je pravi napad na čoveka. Takođe, u razgovoru između dva čoveka, neko može da ima pretpostavku koju smatra argumentom, dok neko drugi ima argument koji jeste argument, a može da bude i pretpostavka.

Zato sam glavni akcenat stavio na prepoznavanje štetnog delovanja na čoveka.

Recimo, ateizam je dupli napad na čoveka. Ateizam napada sagovornika na taj način da pokušava da ga odvoji od Sebstva i Boga uz pomoć nepoznavanja istine, a deluje i na ateistu koji takođe sebe odvaja od Sebstva i Boga. Ignorišu se svi argumenti i svi dokazi i stavljaju se u službu odbrane zablude. Ta zabluda vremenom širi neznanje u društvu i istina se zaboravlja i postaje samo mit u umovima ljudi. Bez Boga nema istinske sreće, ljubavi, ni slobode, a ni istine ni znanja.

Pouka glasi:

Negiranje Boga je "ad hominem" prema celom čovečanstvu. Ateizam u svakom trenutku čini ad hominem jer napada Boga koji je naše Jastvo. Na taj način, svaki čovek se karakteriše kao nesposoban za dostizanje cilja, što je glavni napad ad hominema.

KAKO NEPRAVDA MOŽE DA BUDE PRAVDA?

Ljudi pitaju: ako je svet savršen i ako je Bog apsolutno pravedan, zašto ima toliko zla i nepravde u svetu? Kako počinje lanac događaja?

I kod životinja i kod ljudi zlo i sklonosti se javljaju u umu.

Recimo, Hitler nikada ne bi mogao da učini ono što je učino da nije imao podršku dovoljnog broja ljudi.

Šta to znači?

To znači da možda nisi učinio zlo delo, ali imaš sklonost da ga učiniš ili opravdavaš zlo delo.

Dakle, Hitler je imao uspeha jer su mnogi verovali da svetom zaista treba da vlada "uzvišena" rasa. Na taj način, svi podržavaoci Hitlera su sebi natovarili na vrat karmu da će putem proživljavanja u budućnosti promeniti mišljenje da svetom treba da vlada "uzvišena" rasa.

U odnosu na temu ovde, želim da ljudima bude jasno da sam isključivi protivnik ateizma(ne ateista).

Zašto?

Zato što ateisti negiraju Boga a samim tim i sebe. Na taj način, njihova realnost postaje bezbožna. Jer Bog svakome daje ono što čovek veruje, zato što čovek ima slobodnu volju. Zato i tvrdim da je ateizam svojevoljno prizivanje neistine, neznanja i osećaja odsustva Boga koji je jedina ljubav, istina, znanje i tvoje Jastvo. Dakle, ateizam je uplitanje u svet putem egoizma i lažne pameti.

Pouka glasi:

Ja nikada nisam rekao da ne trebaš prepoznati zlo u svetu i da se ne trebaš boriti protiv nepravde. Ali moraš znati da tvoja vera određuje tvoju sudbinu kao i tuđu. Neodgovornost po tom pitanju će ti doneti neugodnu karmu i moguću patnju. Na taj način, patnja dostignuta putem loših tendencija i mišljenja je pravedno zaslužena patnja koja je u svetu prepoznata kao nepravda.

SVE JE MANIFESTACIJA JEDNOGA

Mnogi ljudi umeju da pitaju:- U svetu postoji 1200 religija. Koji Bog je pravi? Samo jedan može biti pravi. A pošto je nemoguće da jedna samo religija bude u pravu, to znači da sve ne valjaju.

To je svakako apsolutno pogrešna logika.

U svetu postoji 8 milijardi ljudi. Koji od njih je pravi čovek?

Da li je logično ovo pitanje?

Bog ima bezbroj likova, formi i imena, ne samo 1200. Svi oni su manifestacija jednoga bezličnoga svemoćnog Boga.

Svaki čovek voli nešto ili nekoga. Koji je taj čovek koji jedini voli?

Koliko su logična ovakva pitanja?

53

Ovo je dokaz da univerzalna pitanja koja ateisti postavljaju su apsolutno pogrešna i nelogična, ali zbog nepoznavanja istine ateisti su uvereni da su pitanja dobra i pametna.

LACK OF BELIEVE

Smešni su mi ljudi koji traže definicije na internetu pa kažu kako je ateizam nedostatak vere u Boga.

I onda kažu to je jedina razlika između vernika i ateista. Ovako nešto mogu da kažu samo ljudi koji su u totalnom neznanju. To "samo" je celi jedan potrošeni život uzalud i budući nesrećni život. Ateizam podleže zakonu akcije i reakcije. To znači: kako veruješ i kako deluješ, tako će ti i biti.

Ako veruješ u Boga zaista, postupaćeš po Božijoj volji. Na taj način bićeš spašen.

Čovek voli da negira Boga kada želi da čini po svojoj volji. Ta volja dolazi od egoizma. Tada čovek postupa protiv Božije volje i to donosi nesreću i lošu karmu.

To "samo" jeste ogromna razlika u psihi čoveka.

Ateizam psihički donosi očaj i beznađe. Potencijalno donosi život nemorala i tuge. Donosi neznanje i nesreću.

Prema tome, nije to samo "lack of believe". Da li se razlika između dana i noći, sreće i nesreće, života i smrti, slobode i ropstva može okarakterisati kao "samo" reč?

Naravno da ne može. To tako govore neznalice na internetu. Čak i ljudi koji su dali definiciju ateizma ne znaju šta donosi ateizam.

ATEIZAM PRIVLAČI NEZNANJE

ATEISTIČKO IZVRTANJE
Ja još nisam upoznao ateistu koji može da prihvati smisao rečenice:
-Ja poznajem Boga, Bog postoji.
Zbog nevere u Boga kognitivne sposobnosti ateista su svedene na minimum.
Mnogi ateisti ne mogu da prihvate informacije koje dobijaju već ih momentalno u svom umu izobličavaju. U svom umu sve podređuju pretpostavkama i željama iz uma, tako da za istinu nema mesta. Na taj način ateista veruje izmišljotinama naučnika koji kažu da je Zemlja stara nekoliko miliona godina na osnovu ograničenih i nedovoljnih dokaza, ali zato ne veruje u stvarne događaje koji su se desili pre 2 hiljade godina i gde postoje dokazi.
Pouka glasi:
Ateizam se zasniva na izmišljanju verovanja u umu na osnovu želja i pretpostavki iz uma. Na taj način ateista je sposoban proizvoljno odbaciti prave dokaze i uvažiti svoje pretpostavljene i nesigurne dokaze.
Kao dokaz mogu da navedem činjenicu da nijedan ateista neće moći, ni umeti da prihvati smisao rečenice:
-Ja poznajem Boga, Bog postoji.

ATEIZAM JE STANJE PSIHE
Sa ateistima se slažem da Bog ne treba da ima miljenike.

Šta to znači?

Bog zaista nema miljenike. Ti si taj koji bira da li ćeš biti Božiji miljenik.

Bog podjednako voli i ateistu i teistu. Svim ljudima daje ono što zaslužuju. Prema mislima, osećanjima i delima.

To znači da ateista može imati mnogo bolji život nego teista.

Ipak, ovde se više radi o psihi čoveka, pa tek onda o karmi.

Ma koliko da je neki ateista mnogo bolji od većine teista, sam ateizam mu neće pomoći, već obrnuto. Ateizam će mu konačno doneti mizeriju života.

Dokaz je taj da nema duhovno naprednih ateista. Nijedan ateista ne prepoznaje Božiju savršenu ljubav, znanje i istinu. Svaki ateista u savršenom Bogu vidi samo nesavršenost i to ga čini ne samo neznalicom nego i pesimistom. A koji pesimista napreduje ka sreći i ljubavi?

ATEISTIČKA ODGOVORNOST

Ateizam oslobađa um od odgovornosti.

Ipak, to je samo lažna, prividna sloboda. Ateizam je u osnovi ropstvo. Robovanje nestabilnom umu.

Tačnije rečeno, slobodan i osećajan čovek svojevoljno poseduje odgovornost i ne buni se protiv Boga, moralnih načela i zakona.

ATEISTE VETAR NOSI

Ja: -Poznajem Boga.

Ateista: -Ti veruješ u izmišljenog prijatelja.

Ja: -Ja poznajem Boga.

Ateista: -Ti si sve to umislio.

Ja: -To nije tačno. Imam i znanje i iskustvo. Ja imam dokaz da Bog postoji. Svako mora sam da spozna Boga.

Ateista: -Ne. Ti nemaš znanje i iskustvo, jer da imaš, imao bi dokaz Boga.

O čemu se ovde radi?

Kada bi ateista razgovarao sa po hiljadu vernika svih 5000 religija, i svi vernici da su spoznali Boga, sa svima bi imao ovakav isti razgovor.

Zašto?

Zato što ateista nema nikakvo znanje i nema nikakvo iskustvo Boga i ne veruje nijednom čoveku. To znači da ateista veruje da su svi ljudi u zabludi.

Ateista bi voleo da ubedi celi svet da svi izmišljaju, samo je on pametan, ne laže, i samo njegova tvrdnja ne treba dokaz. Tvrdnja zasnovana na pogrešnoj pretpostavci.

Da. Ateista ignoriše celokupnu realnost i istinu koju su spoznali na milione ljudi, ali očekuje da svi poverujemo u njegovu nasumičnu pretpostavku iz uma koja se zasniva na sumnji u sebe, jer ateista zna da ne zna i voli da veruje da svi ne znaju.

Pouka glasi:

Ateizam je pretpostavka da svi ljudi umišljaju i pretpostavljaju pogrešno, samo ateisti(koji sigurno pretpostavljaju) govore ispravno.

Zar ovo nije zabavno?

ATEIZAM I DOKAZI

ATEIZAM JE NEZNANJE(i neiskustvo)
Ateista tvrdi da niko nije dokazao Boga i da dokaz ne postoji iako se dokaz nalazi u njemu i svuda oko njega.

To je isto kao kada nađeš jaje koje je snela kokoška i tvrdiš da jaje nije dokaz da kokoška postoji.

Ipak, ateista će reći da to nije isto jer ateista poznaje kokošku.

Šta to znači? Za ateistu to nije isto, ali u realnosti je ista situacija.

Ateista ne poznaje Boga ali to ne znači da neće nikada Boga upoznati.

Imaš proizvođača i proizvod. Ako ne poznaješ proizvođača to nije dokaz da proizvođač ne postoji.

Pa šta onda znači kada ateista traži dokaz nečega?

Ne znači ama baš ništa jer traženje dokaza ne menja činjenicu da li je nešto istina ili nije. Tvrdnja može biti istinita bez dokaza. Zove se realnost i iskustvo.

Dakle, kada ateista traži dokaz Boga, to znači da ateista sumnja i ne zna. To je sve.

Zahtevi ateista nisu validni jer počivaju na pretpostavkama. Tu nema nikakvog znanja ni istine.

DOKAŽI DA BOG NE POSTOJI

Ateisti danas postavljaju stalno jedan te isti neispravan zahtev. Traže od drugih ljudi dokaz Boga.

Kada ateistu pitaš za dokaz da Bog ne postoji, ateista se zbuni i objašnjava da onaj koji tvrdi da Bog postoji treba da pruži dokaz.

Ovo je smešno zato što ako neko tvrdi da neko drugi mora da mu da dokaz Boga, mora takođe imati dokaz da je njegova tvrdnja istinita. Jer, pravila važe za sve, zar ne?

Pošto svi ljudi današnjice već znaju da je traženje dokaza Boga u četu besmisleno, ateisti su izmislili pravilo da se ne može dokazati nešto što ne postoji.

Ipak, ovo je samo pogrešna pretpostavka. To je pretpostavka da Bog ne postoji i da tako nešto se ne može dokazati.

To je netačno.

Sve se može dokazati.

Može se dokazati i Bog, ali ne onako kako ljudi žele i pretpostavljaju. Tačnije rečeno, istina se uvek dokaže. Bog je ta istina. Svaki čovek može dobiti dokaz Boga, ali to nije stvar kolektivne svesti, niti nauke, već je individualno dostignuće.

Zato religije i duhovna učenja postoje. Da ti daju smernice na putu prema Bogu.

Pouka glasi:

Nepostojanje Boga se ne može dokazati zato što je to neistina a ne zato što Bog ne postoji.

Samo istina se može dokazati.

Bog je znanje i istina.

SVE JE BOŽIJE, NIŠTA NIJE TVOJE

Stvaranje je dokaz Boga.

Ipak, ateisti je potreban dokaz da je Stvaranje dokaz Boga.

Zašto?

Zato što problem nikada nije bio u dokazu nego u neznanju i sumnji.

Zamisli da svoje stvari pokloniš dobrotvornoj ustanovi. Sutradan, neki čovek nosi te stvari i govori da su to njegove stvari.

Tačnije rečeno, ateista je čovek koji koristi Božiju svojinu i govori kako je njegova.

Ovde se nameće:

-Dokaži da je sve tvoja svojina!

Šta je to što na samrti nosiš sa sobom, pa je tvoje? Ono što nosiš sa sobom na samrti, to je tvoje. Ništa nije tvoje od čega se rastaješ na samrti. Sve je Božije.

To znači da ateizam počiva na ponosu, nezahvalnosti i lažnoj pameti. Zato i postoje ljudi koji tvrde da je Bog nesavršen i zao.

GREŠKE ATEISTIČKIH PITANJA

Šta znači kada ateista traži dokaz Boga da mu vi date?

To znači da ateista želi da mu vi date na nepravedan način nezasluženu nagradu.

Šta to znači?

Bog jeste univerzalni cilj. Ipak, Bog nije univerzalno dostignuće. Bog je lično i zasebno dostignuće svakog čoveka.

To vam je kao ljubav. Kada neko voli, to je njegova nagrada. Ti ne možeš svesno utisnuti ljubav koju osećaš u drugo biće. Tačnije rečeno, svako oseća za sebe ono što oseća.

Kada ateista traži od tebe da mu daš dokaz Boga, on traži da ti budeš svemoćni Bog i još da budeš nepravedni Bog i da ateisti daš nezasluženu nagradu.

Ipak, ti nisi Bog da daš ateisti spoznaju Boga i Bog nije nepravedan pa da pruži ateisti nezasluženu nagradu.

Jednom je jedan ateista želeo da ispadne smešan pa je na društvenim mrežama pitao gde su njegove čarape.

Na njegovo iznenađenje rekao sam mu da je to odlično pitanje.

Zašto je odlično?

60

Zato što su čarape u njegovoj kući i samo ih on može pronaći. Smešno je nas da pita tako nešto. Zato su se ljudi i smejali. Javio se posle nekoliko minuta i rekao da je našao čarape.

Dakle, pojedinci se smeju ako neko pita gde su njegove čarape, ali se ne smeju kada neko traži dokaz Boga od drugog čoveka?

Smešno, zar ne?

STAGNACIJA ATEIZMA

UZROK I POSLEDICA

Bog je uzrok, Univerzum je posledica.

Šta to znači?

Neki lopov ti može pokazati 5000 dolara kao dokaz da ih je ukrao. Ako si neznalica, ti ćeš videti samo tih 5000 dolara kao nepravedno stečenu korist.

Međutim, ako poznaješ zakon akcije i reakcije, ti ćeš znati da to nije korist od 5000 dolara već je karmički dug koji si sebi stvorio. To znači da ćeš morati biti pokraden u nekom od sledećih života i moraćeš trpeti ne samo finansijsku nego i duševnu štetu, kao i svi pokradeni ljudi.

Isto tako, ti možeš zapažati samo Univerzum, ipak, životna iskustva će te uvek usmeravati prema sebi samome.

Šta ti vredi poznavanje razdaljine Sunca i Meseca i njihove veličine? Hoće li ti takvo znanje doneti vrlinu?

Ljudi me pitaju kako mogu porediti Boga sa ljudima?

Pa jedina razlika između običnog čoveka i Mesije je ta da je Mesija svestan sebe. Običnom čoveku kada kažeš da je Bog on u to ne može da veruje.

Zašto?

Zato što ne shvata da ga vrlina dovodi do Boga a ne znanje o Kosmosu.

Mesija je svemoćni čovek Bog koji poseduje savršenu vrlinu.

Pa ko onda iz ove rečenice-jednačine ne može da otkrije istinu-nepoznatu-x?

Pouka glasi:

Ateizam je zabluda koja gleda samo u posledicu. Na taj način je ateista jedini koji ne poznaje ni fizičke ni duhovne zakone pa ni samog Boga. To je beskonačno konstatovanje činjenica koje se stalno menjaju, i koje su samo proizvod iluzije, nikako znanja ni istine.

NEGIRANJE ISTINE

Ateisti govore da Bog ne postoji a da ateista postoji. Ipak, Bog je jedini stvaran.

Ateisti govore da nemaju svog Boga i da su oni gospodari svog života. Ipak, ateisti polažu račune Bogu i od Boga sve zavisi.

Ono što je zanimljivo, mnogi ateisti tvrde da je moral subjektivna stvar i da niko nema slobodnu volju.

Pa ako ste gospodari svog života, kako nemate slobodnu volju? I ako je moral subjektivne prirode, kako to da niste uvek srećni, i zašto vas drugi stalno povređuju?

O čemu se ovde radi?

Objasniću vrlo jednostavnim primerom:

Kada uđeš u vodu pokvasićeš se. Ne mora Bog da te kvasi.

Bog je jedino kriv što ti uvek pomaže da otplatiš svoje dugove i zla dela i uvek te spašava. U stvarnosti, za sve nevolje si kriv samo ti.

To znači da Bog nikoga ne kažnjava, već da postoji samo pravda koja se uvek ostvaruje.

UZROK RELIGIJE

Ateisti umeju da kažu kako se ne može dokazati nešto što ne postoji. Pa kako onda znaš da ne postoji? -pitam ja.

Šta ovo znači? Ateistička filozofija uvek vodi u ćorsokak, jer je zasnovana na neistini.

Ono što je jako ružno jeste potreba ateista da negiraju dela Avatara i Mesija zbog kojih su religije uspostavljene.

Ateisti kažu da neke religije postoje 2000 godina i nisu dokazale postojanje Boga.

To nije tačno.

Nijedna religija se ne bi održala da nije prava i istinita. Religija ne služi da dokažeš Boga već da dostigneš Boga. Zamislite jedno ateističko društvo, recimo komunizam koji je propao za svega dve decenije? Da li je propalo zato što je to društvo negiralo Boga i istinu?

Naravno da jeste.

Zar nije sramota unižavati Isusovo delo i praviti ružne šale da račun Isusove žrtve? Ili unižavati Muhameda na taj način da govorite da je bio samo prorok? Ili unižavati Budino dostojanstvo i praviti šale na račun Njegovog dostizanja Nirvane?

Zamislite samo Krišnu još pre 5000 godina. To je bio avatar koji je svojeručno pobio zle ljude toga doba koji su maltretirali čovečanstvo. Eto, možda bi Krišna odgovarao ateistima jer je On uništio Asure. Ali ne, Krišna im neće odgovarati jer je pobio zle ljude(jer će ateista pitati da nisu možda to bili dobri ljudi). Isus im neće odgovarati jer se žrtvovao za grešnike tog doba.

Dakle, posle 5000 godina Krišna ima milione i milione sledbenika, i to mnogo više nego što ima pravih ateista.

Čuvajte se onih ljudi koji ismejavaju Avatare i Mesije. To je pokazatelj zlog srca i neukog uma.

ŠTETNOST ATEIZMA
Osobine Boga i Jastva su: vera, vrline, poverenje i ljubav.
Osobine ega su: sumnja, mane, nepoverenje i strah.

Šta to znači?

Ako ste obratili pažnju, ateizam počiva na sumnji, pretpostavkama i strahu.

Mene recimo stalno pitaju kako znam da sam doživeo Boga a ne Đavola. To je isto kao kada bi nekoga pitao kako znaš da voliš, možda samo mrziš? Ili, kako znaš da si jeo hranu, možda si jeo kamenje? Ovakva pitanja dolaze od stalnih sumnji i strahova ateista.

Ako malo razmislite, ateizam ne samo da negira Boga, nego negira i komunikaciju i prenos bilo kakvog znanja. Ateizam tvrdi da se nikome ne može verovati, da svi lažu pa je i komunikacija nepotrebna, već samo "izmišljeni dokazi".

To po ateističkoj filozofiji znači da ne trebamo da komuniciramo uopšte, već samo da pokazujemo dokaze, ali ni oni sami ne znaju kako bi to funkcionisalo.

Ateizam je negiranje Boga, života, istine i znanja.

Bog je stvorio svet da bismo imali iskustva i stekli svest o sebi. Ateizam upravo negira iskustvo i komunikaciju, i zato se konstantno nalazi u apsolutnom neznanju, sumnji, strahu i traženju dokaza.

PUT ATEIZMA

Mladi ateista ismeva i ponižava Boga i voli da veruje da je jako pametan i hrabar. To je zbog toga što podsvesno zna da je Bog njegovo Jastvo i da mu Bog neće zameriti.

Sredovečni ateista voli da se hvali svime što poseduje u svetu i svime što je postigao u životu, govoreći kako je to sve sam uradio bez Božije pomoći. To je svakako sebelaganje.

Stari ateista se poistovećuje sa umom i zato počinje da očajava jer se smrt približava. Bog mu je kriv za sve.

Ateista na samrti je najveći vernik.

Zašto?

Zato što tek na samrti shvata razliku između prolaznog i večnog.

Tek tada shvata da je Bog jedini pravi, logičan izbor. Ipak, tada je kasno. Vera i vrlina se izgrađuju celoga života, ne samo na samrti. Dakle, koja je najveća zabluda ateizma? -Negiranje jedinog mogućeg puta i spasenja.

ŠTA RADE ATEISTI?

Ateisti su kao mala deca koja veruju da ako zatvore oči niko ih ne vidi. Šta to znači? Jednu stvar morate znati kada razgovarate sa ateistom. Ateista će učiniti sve da svoje stanje učini nepromenjenim. Šta to znači? Ateista štiti svoje interese koji dolaze od njegovog uma. To znači da će odbiti svaku istinu i svaki napredak samo da ne bi morao da se menja. On misli, skini mi posledice mojeg delovanja(nesreću), ali mi ne oduzimaj same probleme(neznanje i pasivnost), što je naravno nemoguće.

Ipak, pošto ateista želi da se prikaže pametnim, on mora da nađe rešenje za to. I šta su ateisti lako zaključili?

Naravno. Priklonili su se nauci, jer oni misle kako su naučnici veoma pametni. Pa tako, ako ateisti samo čekaju da im naučnik donese odgovor kod kuće, pa zar nisu onda pametniji i od samih naučnika? Na taj način vole da veruju da su svi drugi glupi jer se ne oslanjaju na dokaze nauke.

Druga stvar je da tebe u razgovoru učine aktivnim. To znači da će te uvek zaposliti da im objasniš sve i dokažeš sve jer na taj način veruju kako su pametni jer tobom manipulišu. Uvek postavljaju situaciju tako da oni ne moraju ništa da rade a sve što ti uradiš nipodaštavaju.

Šta je ovde rešenje?

Jednostavno im objasnite šta rade. Budite strpljivi. Trebaće godine da se prilagode radu na sebi.

POREKLO ATEIZMA

ODAKLE DOLAZI ATEIZAM?

Jedna od najvećih zabluda ateizma je želja ateista da sebe ne proglase vernicima već samo "kritičkim misliocima".

Šta to znači?

Već i sama definicija ateizma koja se nalazi na wikipediji je nepotpuna i netačna.

Kaže se "ateizam je nedostatak verovanja u Boga".

Prvo da se zapitamo kako su nastale religije i vera u Boga?

Nastale su na osnovu života i dela Avatara i na osnovu svedočanstva mnogih ljudi. Dakle, koreni vere i religije se nalaze u stvarnosti i u izjavama i doživljajima mnogih ljudi.

Gde se nalazi koren ateizma?

Nalazi se u njihovom "kritičkom razmišljanju".

Koje je to kritičko razmišljanje?

To je pretpostavka koja dolazi iz uma da sve religije lažu i da svi svedoci i proroci lažu(a ima ih na milijarde).

Ovde vidimo zbog čega ateisti vole da budu "kritički mislioci" a ne vernici.

To je zato jer ateisti veruju u običnu sumnju iz uma i u pretpostavku da Boga nema samo zato što oni veruju da ne postoji dokaz Boga.

Zato je jako smešno govoriti da je ateizam racionalan i logičan iako dolazo od "samo" obične pogrešne pretpostavke, a da su stvarni događaji i ljudi neracionalni i nelogični kao dokaz.

Pouka glasi:

Ateizam je jedina vera koja dolazi iz uma i veruje u (na žalost, pogrešnu) pretpostavku iz uma. Naravno, to je ujedno i jedina vera koja ne veruje u postojanje Boga. Zato je ateizam jedini sigurni pogrešni put, jer negira stvarnost i cilj.

Druge religije mogu izgledati kao zabluda ako veruješ u neispravnog i neistinitog Boga. Ateizam je siguran promašaj jer nema nikakav kontakt sa istinom i ciljem.

PORAZ ATEIZMA

ATEISTI SU PORAŽENI VEĆ U STARTU

Postoje neke stvari koje mnogi ateisti ne razumeju.

Uvek pobeđuju trud i istina.

Bog je nepobediv. Bog ne mora uopšte da deluje. Uvek će Bog pobediti.

Šta je ovde problem?

Ateisti misle da ako naprave dvadeset naloga i kada sa svakog naloga glume ateistu, misle da je to pošteni trud.

Takođe, ono što ateisti botovi pišu na društvenim mrežama nije istina.

Zato ateisti ne mogu nikada pobediti u debatama. Stavljanje smešnih emotikona nije znanje. Izmišljanjem, sumnjom i negacijom ne možeš nikada pobediti. Moraš imati stvarno iskustvo i znanje.

I na kraju, moraš govoriti znanje i istinu. Jer komunikacija se na tome zasniva. Ne postoje dokazi koji bi te uverili u nešto već samo tvoje sopstveno iskustvo.

Pouka glasi:

Stekni znanje i iskustvo pa tek onda propovedaj.

Nijedan ateista ne poseduje znanje o Tvorcu, kao ni iskustvo Tvorca i istine.

ZLOUPOTREBA POLOŽAJA

Primetio sam da mnogi ateisti imaju naviku da zloupotrebljavaju svoj položaj. Koriste svaku priliku da cenzurišu Boga. Na taj način misle da spašavaju čovečanstvo. Smešno je to da nekoga navodiš na bespomoćnost i ubijanje volje za životom uverenjem da ćeš postati hrana crvima i da misliš da tu osobu spašavaš nesreće.

Ipak, ovde se postavlja jedno pitanje: Zašto su ateisti podložni zloupotrebi položaja? Šta to dokazuje? Da li dokazuje da nedostatak vere u Boga donosi proizvoljan moral koji je u stvarnosti nemoral? Jer, šta je u osnovi zloupotreba položaja ako nije slabost jer koristiš položaj da bi drugoga onemogućio u slobodi mišljenja i govora i u narušavanju njegovih ljudskih prava?

Zar to nije zlo i nemoral prve kategorije, zasnovan na neznanju?

Šta je govorio Isus?

-Oprosti im Bože, ne znaju šta čine.

Da li se slažete da je apsolutno neznanje o sebi glavni problem ateizma?

Did you love *Vodič kroz psihu ateizma, religije i filozofije i njihovo dejstvo na savremenu duhovnost?* Then you should read *Kakav ti je život?*[1] by Vladimir Živković!

Ova knjiga će pomoći čitaocu da sagleda kvalitet svog života iz pravih uglova i uz pomoć ispravnog načina razmišljanja. Veoma je bitno obratiti pažnju na važne stvari u životu koje su zapostavljene zbog savremenog načina života. Neophodno je promeniti gledište, spoznati istinu i dostići ideale i radost života. Šta je prava istina? Šta je srž i namera duhovnosti? Da li slučajnosti postoje i koje je pravo duhovno znanje? Da li se trebamo menjati na bolje i kolika je naša vrednost pred Bogom? Koji su problemi lepih, a koji su problemi ljudi koji nisu lepi? Šta je bitno u savremenim odnosima muškaraca i žena? Šta je smisao života i kako da ostvarimo taj smisao? Ova knjiga će vam definitivno pomoći u pronalaženju odgovora.

---

1. https://books2read.com/u/4jqKxD

2. https://books2read.com/u/4jqKxD

Also by Vladimir Živković

Modern Relationships
Return to God: Men and Women
Sexuality and Seduction
Return to God: Love Relationships

Savremena duhovnost
Povratak Bogu (savremena duhovnost i ljubavni odnosi)
Lagana duhovnost: dodatak knjizi "Povratak Bogu"
Razotkrivanje nasilja
Igre moći
Seksualnost i zavođenje
Bez ulepšavanja(kritika neljudskosti)
Iz kog si filma?
Lažna slika besmisla
Kakav ti je život?
Putovanje klonova
Vodič kroz psihu ateizma, religije i filozofije i njihovo dejstvo na
savremenu duhovnost
Ljubav i seks

Standalone
Destroy Evil
Love and Sex
Modern Relationships
The Book About Divine Self
Self- Help: The Understanding of Life
Duhovnost u doba korone
Spirituality in the Age of Corona
How Is Your Life?

Milton Keynes UK
Ingram Content Group UK Ltd.
UKHW041820211123
432980UK00001BB/93